Get **more** out of libraries

Please return or renew this item by the last date shown.
You can renew online at www.hants.gov.uk/library
Or by phoning 0845 603 5631

CAT 2 ✓

Hampshire
C

DU MÊME AUTEUR

Aux Éditions Gallimard

LE BALCON DE SPETSAI (« Folio », n° 1524).

UN PARFUM DE JASMIN, *nouvelles* (« Folio », n° 1055).

LES PONEYS SAUVAGES, *roman*. Prix Interallié (« Folio », n° 71).

UN TAXI MAUVE, *roman*. Grand Prix du roman de l'Académie française (« Folio », n° 999).

LE JEUNE HOMME VERT, *roman*. Nouvelle édition augmentée d'une préface de l'auteur (« Folio », n° 2858).

LES VINGT ANS DU JEUNE HOMME VERT, *roman* (« Folio », n° 1301).

LE JEUNE HOMME VERT — LES VINGT ANS DU JEUNE HOMME VERT. Édition en deux volumes.

THOMAS ET L'INFINI. *Illustré par Étienne Delessert* (« Folio cadet », n° 202).

THOMAS ET L'INFINI. *Accompagnement pédagogique par Isabelle Genier et Cécile Templier* (« La Bibliothèque Gallimard », n° 103).

DISCOURS DE RÉCEPTION DE MICHEL DÉON À L'ACADÉMIE FRANÇAISE ET RÉPONSE DE FÉLICIEN MARCEAU.

UN DÉJEUNER DE SOLEIL, *roman* (« L'Imaginaire », n° 145 ; « Folio », n° 2857).

« JE VOUS ÉCRIS D'ITALIE... », *roman* (« Folio », n° 1720).

MA VIE N'EST PLUS UN ROMAN, *théâtre* (« Le Manteau d'Arlequin », nouvelle série).

LA MONTÉE DU SOIR, *roman* (« Folio », n° 2038).

JE NE VEUX JAMAIS L'OUBLIER. Édition revue et corrigée avec une préface de l'auteur (« Folio », n° 2157).

DISCOURS DE RÉCEPTION DE JACQUES LAURENT À L'ACADÉMIE FRANÇAISE ET RÉPONSE DE MICHEL DÉON.

UN SOUVENIR, *roman* (« Folio », n° 2373).

LES TROMPEUSES ESPÉRANCES, *roman*. Nouvelle édition avec une postface de l'auteur (« Folio », n° 2489).

Suite de la bibliographie en fin de volume

CAVALIER, PASSE TON CHEMIN !

MICHEL DÉON

de l'Académie française

CAVALIER,
PASSE TON CHEMIN !

pages irlandaises

GALLIMARD

pour Alice Déon

Cast a cold eye
On life, on death,
Horseman, pass by !

W. B. Yeats

La Grèce m'aura obsédé, je ne cesserai jamais d'y penser, d'en remuer les souvenirs, de laisser sa lumière pénétrer dans mes livres, mais c'est l'Irlande qui m'aura gardé... enfin... jusqu'aujourd'hui... laissons à demain ses libertés. L'Irlande est là tandis que j'écris devant la fenêtre et que monte le soir, rose encore à l'horizon, déjà sombre avec de lourds nuages bleuâtres que le vent pousse vers le grand Atlantique. Dans un instant, comme quand, à la fin de *L'île mystérieuse*, le Pacifique engloutit le *Nautilus* tous feux allumés, notre maison s'abîmera dans les profondeurs d'une nuit étoilée, signe de froid, de prairies givrées au réveil. Je compte les années : près de cinquante depuis ma première visite, plus de trente depuis que nous avons commencé de vivre ici les automnes et les hivers avant de nous ancrer dans la terre meuble gorgée d'eau. Près du tiers d'une vie. Pourquoi, comment ?

11

Du plus loin, dans les souvenirs d'enfance, j'entends encore ma mère revendiquer du sang irlandais : un aïeul, Joachim Crofton de Motte O'Connor. Cinq générations me séparent de cet ancêtre mythique des récits maternels. Il est à craindre que la goutte de sang irlandais soit bien diluée, mais elle existe et elle a été pieusement entretenue par une mère qui prit soin, à chaque occasion, de m'emmener au théâtre assister à des pièces de Wilde, Shaw, O'Casey, Synge. Il n'est pas certain que ce timide début d'éducation m'ait vraiment marqué, mais j'ai adoré Swift et, plus tard, Wilde et Shaw dont les visions sarcastiques sont les seules réponses possibles à la bêtise suicidaire du monde. Ailleurs, j'ai dit quel choc avait été la lecture de l'*Ulysse* de James Joyce qui a inspiré tant d'épigones.

Qu'a donc à faire cette goutte de sang irlandais dans les veines d'un Français que rien ne prédisposait réellement à s'installer en République d'Irlande après tant d'années où la Méditerranée — *mare nostrum* — avait été son berceau ? Je n'explique rien. Je constate une attirance dont je ne suis pas la seule victime consentante. Au moins ai-je été jusqu'au bout d'une logique en venant m'installer sur cette terre.

Bien qu'il se réclamât d'une origine irlandaise par sa mère, Lawrence Durrell n'a pas cédé à la même tentation, mais il semble qu'il y a là quelque extrapolation de la part du romancier du *Quatuor d'Alexandrie*. Nous ses lecteurs, ses amis, ses défenseurs devant les ennemis (Peter Levi) embusqués dans la critique anglaise, nous l'avions cru avec d'autant plus de candeur que dans les multiples facettes de son art — romans, récits, poèmes, théâtre — nous flairions une volubilité héritée du délire verbal irlandais qui oscille entre la fête et le désespoir. Intuitivement, il avait retrouvé, appliqué à d'autres horizons — l'Égypte, la Grèce, l'Arabie, la Provence —, le lyrisme passionnel des Gaëls, corrigé, il est vrai, par une belle dose d'humour et le don, si rare, de voir les êtres non comme ils sont mais comme c'est leur rôle d'être pour leur grand marionnettiste, le romancier.

Eh bien, non... son gène irlandais n'était pas plus déterminant que le mien et il a fallu la patiente recherche d'un universitaire américain, Ian Mac Niven, pour révéler que Durrell pouvait seulement se targuer d'une arrière-grand-mère irlandaise. Un huitième de sang pur. Déjà pas mal, dira-t-on. C'était en Avignon, au palais des Papes, étage des Miracles, avec une trentaine de participants de

13

plusieurs pays, répartis au bord d'une table en fer à cheval. Il y avait bien une jolie fille en short et T-shirt noirs, à la longue chevelure blonde masquant la moitié du visage quand elle se penchait sur ses notes, mais la chance se moquait de moi, j'étais loin. À ma gauche siégeait une durrellienne de choc, sortie d'un film de Fellini, dans les cent et quelques kilos, vastement drapée dans un sari de sa façon. Elle m'avait passé sa carte de visite qui lui attribuait une chaire de poésie à l'université de San Diego, puis, peu après, une mince plaquette de poèmes qu'elle me glissa d'autorité dans la poche après l'avoir dédicacée.

— C'est cinq dollars, me dit-elle, et si vous en traduisez des pages en français, demandez les conditions à mon agent littéraire.

Dont elle joignit la carte. Mais Mac Niven continuait son implacable démonstration et il semblait de plus en plus que le quart de sang irlandais de Durrell n'était en fin de compte qu'un huitième et qu'à la fin du colloque, il n'en resterait pratiquement plus rien. Leçon à méditer sur la vulnérabilité des écrivains, les humiliations qui les attendent outre-tombe quand on fouille dans leurs tiroirs et leurs draps. N'avons-nous pas, nous les funambules de l'imaginaire, le droit d'inventer à notre usage

14

personnel une vie privée, après en avoir tant prêté à d'autres qui ne nous en savent aucun gré ? N'avons-nous pas le droit, au début, pendant ou après une existence consacrée à la fabulation, d'en jouer aussi pour notre compte ? Combien d'heures, de jours, de semaines, combien d'enquêtes dans les services d'état civil de l'Inde ou de la Grande-Bretagne avait-il fallu à Ian Mac Niven pour rétablir l'ordre dans une généalogie compliquée et en déduire… mais quoi ? J'aurais approuvé s'il avait conclu que le monde d'un romancier finit par l'envahir, qu'entre ses fictions et sa vie propre il n'y a plus de frontière. Si Durrell s'était lui-même persuadé d'avoir du sang irlandais, son œuvre avait puisé dans cette adoption imaginaire un frénétique besoin de liberté. Mais… non, les biographes sont d'impitoyables justiciers et leur passion de la vérité, fût-elle sordide ou mineure, n'a d'égale que leur myopie.

Pourquoi, comment cette nation irlandaise fascine-t-elle tant l'histoire politique ou littéraire de l'Occident, alors qu'en vérité ses œuvres capitales comme sa politique sont récentes ? La Renaissance celtique date de la fin du XIXe siècle et sa liberté de 1921. Qu'y a-t-il de vrai dans les clichés dont on l'accable, auxquels elle a, parfois, la faiblesse de se conformer ? Dans une petite pension d'Achill Island où nous nous étions réfugiés, trempés, heureux après une journée de marche sous une de ces pluies qu'il est exaltant d'accepter comme une douche purificatrice ou une immersion dans le Gange, cinq ou six pensionnaires feignaient de se réchauffer autour d'un feu de tourbe dans une odeur de fumé, de laine écrue séchant près de l'âtre. À ces étrangers transis, un jeune homme en chandail d'Aran avança des sièges :

— J'ai entendu : vous avez l'accent français.

— C'est probablement parce que nous sommes Français.

— J'enseigne le français dans un collège d'Athlone. Cette année, nous avons Camus et *L'étranger* au programme.

Comme il disait « Camouss » et « Létanglais », je ne compris pas tout de suite, mais sa connaissance d'un pan de la littérature française émouvait dans cette pension perdue sur une île giflée par la tempête. Les trois femmes tricotaient ou finissaient un point de croix, les hommes fumaient la pipe, jambes allongées vers la timide flamme bleuâtre et jaune de la tourbe.

— J'aime beaucoup la France et j'espère y aller un jour, disait notre nouvel ami avec une chaleur telle que des Français qui ont fini par comprendre qu'on ne les admire plus comme autrefois en ressentent un pincement au cœur. Oui, j'aime la langue française, mais pourquoi vos écrivains persistent-ils à dire que tous les Irlandais sont roux et tachés de rousseur ? Vous parcourez l'Irlande et vous avez pu constater que, si c'est parfois vrai, ce n'est tout de même pas la loi ici.

L'observation était en partie fondée. N'ayant encore rien écrit sur l'Irlande — je me suis rattrapé des années après — je pouvais plaider mon innocence, mais la question me laissait sans voix : ce jeune professeur, qui parlait ma langue avec autant de passion que d'ignorance de sa prononciation, était lui-même d'un furieux roux cuivré et, dans le petit salon avec ses sièges défoncés, ses affreux rideaux en dentelle jaunis par les fumées de tourbe, où nous essayions en vain de nous réchauffer, il y avait encore trois autres roux, non pas des « rouquins » mais des vrais roux carotte. Une écrasante majorité. La situation se compliquait : ce jeune homme parfaitement chaleureux ignorait la couleur de ses propres cheveux et ne voyait pas que trois autres roux nous tenaient compagnie sans comprendre un mot de ce que nous disions, mais hochant la tête avec une énorme sympathie de principe ; à l'opposé, plus je le regardais, plus je le trouvais roux et avec les trois roux béats dans leurs fauteuils défoncés, je décidai (sans l'avouer) que tous les Irlandais sont roux. Comment s'en sortir sans humilier ce nouvel ami que, d'ailleurs, je ne revis jamais ? Sophiste, il m'aurait répondu que, puisque nous sommes incapables de nous voir nous-mêmes, il n'y a aucune raison d'accorder le moindre crédit aux tiers qui prétendent juger de notre physionomie, voire de notre intelligence ou de notre talent.

Dans les premiers mois de notre premier essai d'Irlande (1969), nous avions loué Kilcolgan Castle au fond de la baie de Galway, au bord d'une ria peuplée de cygnes, de mouettes, de chevaliers gambettes, de vols de vanneaux huppés, de courlis répétant leur nom à tout propos, de macareux au bec orangé qui s'aventuraient en claudiquant à la recherche de moules. J'ai l'air savant aujourd'hui, mais ne l'étais guère à l'époque et me sentis vite frustré. La diversité du monde des oiseaux appelait un vocabulaire. De Paris, on m'envoya le *Guide des oiseaux d'Europe* (Delachaux et Niestlé), incomparable instrument de connaissance pour un amateur. Non seulement les planches sont parfaites, mais elles donnent les noms en plusieurs langues : anglais, allemand, néerlandais, suédois, italien, espagnol. De ces appellations, les françaises sont souvent les plus imagées : circaète jean-le-blanc

parle mieux à l'oreille que l'anglais *short-foed-eagle,*
et lagopède des saules est un plus doux vocable
que l'allemand *Moosschneehuhn.*

On n'écrit pas toute la journée à jet continu et
les pauses-oiseaux sont de bons souvenirs de ces
mois de travail. J'avais élu pour bureau un étroit
boudoir (le mot est flatteur) facile à chauffer avec
un radiateur à gaz. La seule fenêtre donnait sur la
ria que vidait ou remplissait la marée. Nous étions
prévenus que, les jours de grande marée, le rez-
de-chaussée de Kilcolgan Castle disparaissait sous
trois pieds d'eau pendant quelques heures. Le
plancher, le maigre mobilier, le papier des murs
en gardaient les traces. Il fallait oublier la pathétique décadence du canapé dont les ressorts pointaient sous la trame usée, un pupitre en faux ébène,
une chaise branlante et, sur les murs, découpés
dans des magazines anglais, des scènes de chasse
à courre. Avec l'énergie qui la caractérise, C. avait
débarrassé les vitres d'une couche de crasse et de
sel pour que, de mon poste, je puisse surveiller les
multiples sautes d'humeur du paysage vert d'eau,
du ciel gris ou carrément charbonneux et, parfois, une éclaircie d'un bleu exquis trop fragile
pour durer plus de quelques minutes. Malgré son
nom avantageux, Kilcolgan Castle — même ravalé

aujourd'hui — n'a rien de seigneurial. Je le soupçonne d'avoir été, au XIXᵉ siècle, la folie d'un Irlandais qui se poussait du col : un massif donjon à deux étages flanqué de deux tristes ailes. La propriétaire, l'honorable Mrs. A., nous le louait pour six mois et s'acagnardait dans une sorte de garage glacial. Pendant l'été, de passage à Spetsai, Desmond, Earl of Glynn, interrogé sur les dames du Galway, avait dit : « Mrs. A. ? Hum, il y a beaucoup de sorcières dans le coin. »

L'arrivée dans la cour de notre voiture chargée à ras bord, avec deux enfants pressés de découvrir leur nouvelle résidence, avait soulevé un nuage de corbeaux massés autour des cheminées et dans les arbres. Mrs. A. ne s'était pas présentée sur un manche à balai. Elle n'avait rien d'une sorcière. J'aurais plutôt dit d'une suffragette : cheveux gris courts à la garçonne, long nez busqué, joues rosies par deux heures de marche le matin au pas militaire derrière son chien. Veuve ? Oui, probablement, mais ce n'est pas là une question à poser. Elle entretenait en tout cas une virile amitié avec un Anglais, George S., qui vivait dans une maison mobile fort confortable et facile à transporter dans des prés qu'il louait au bord de la baie. George S. se mourait d'un cancer, mais lentement avec des rémissions dont il profitait pour mitonner de bons dîners auxquels il nous invita plusieurs fois. C'était un homme cultivé, sans doute assez désespéré, consolé par des vins qu'il faisait venir de Dublin. Je n'ai jamais entendu prononcer les mots « château-beychevelle » avec un tel bonheur gourmand, comme s'il allait communier. Lors de mes promenades du matin, si je passais devant sa maison mobile et que le temps lui permettait de s'asseoir sur une marche de son escalier face à la baie, nous échangions des noms d'auteurs et les souvenirs de livres français qu'il avait lus en traduction, mais, depuis le premier jour, j'évitais le banal « *How are you ?* » auquel il m'avait répondu : « *Still alive.* » Son dernier vœu se limitait à la possession d'un laguiole. Quand, en échange d'un penny, je lui en rapportai un après un bref voyage à Paris, je vis un homme heureux. Peu après, il mourut et j'espère que, dans son cercueil, une âme bienveillante a placé le couteau et une bouteille de beychevelle.

À mon indifférence au pire hiver que nous ayons jamais passé en Irlande — il plut sans arrêt, des tornades abattirent de beaux arbres autour de nous, une grippe venue, disait-on, de Hong Kong nous coucha tous les quatre dans une même chambre où notre voisin, l'élégant, l'exquis docteur Lydon qui ressemblait à Fred Astaire, montait avec sa mallette remplie de mystérieux médicaments impuissants à soulager nos épouvantables migraines et les vomissements des enfants, mais sa compassion, sa tranquille certitude que nous sortirions de l'enfer finirent par nous guérir de cette épreuve —, à mon indifférence, disais-je, je ne vois d'autre explication que ma course au « finish » pour terminer enfin *Les poneys sauvages.* Depuis des années, je laissais tomber, reprenais, mutilais ou récrivais ce roman dans lequel, la cinquantaine arrivée, j'ambitionnais de tout mettre : l'histoire de ma génération, l'Europe en proie à la guerre civile et mettant le feu au monde, les choix idéologiques, l'amitié, l'amour et ces terrains neutres sur lesquels, paniqués à l'idée de l'Armageddon, les hommes de bonne volonté se reconnaissent et fraternisent. Par une de ces presciences dont maints autres livres m'ont offert l'exemple, j'avais imaginé, cinq ans auparavant, que mes personnages achèveraient leur course sur cette terre d'Irlande que je connaissais encore à peine, et voilà que, guidé par une des forces obscures qui ont tant joué avec mon existence, je me trouvais attiré exactement dans le décor imaginaire des *Poneys.* N'était-ce pas grisant

23

et propre à effacer les agressions du climat, l'inconfort et la laideur du « château » après les hivers immaculés de la Grèce où nous pensions bien retourner dès que mon roman serait terminé ? Une crise d'ascèse ? Ce serait beaucoup dire, mais il est bon de se fustiger et puis, pour donner l'*impetus* nécessaire à la fin de ce livre, je comptais sur le choc d'un monde nouveau, plus rude, sur je ne sais quelle force tellurique qui avait fait de cette terre atlantique une couveuse d'écrivains, de poètes, d'interprètes, de rêveurs déchaînés.

Les enfants allèrent à l'école de Clarenbridge chez les bonnes sœurs qui en prenaient soin avec autorité et devaient, parfois, à la grande honte d'Alice, enfermer Alexandre dans un placard pour continuer la classe en paix. Leurs quelques mois de scolarité furent une grande réussite : ils liquidèrent de concert la varicelle, la rougeole, les oreillons, ce qu'on peut faire de mieux à cet âge. Grâce à des amis voisins, C. pouvait monter à cheval et je me reprochais de l'avoir, pendant toutes ces années sur notre rocher grec, égoïstement privée de sa passion.

C'est ainsi qu'un matin l'équipage des Galway Blazers l'invitait à une chasse à courre le renard dont le rendez-vous se donnait près de Kilcolgan, devant le pub de Paddy Burke.

Les Blazers étaient célèbres pour avoir joyeusement mis le feu à un pub au retour d'une belle chasse, mais quand ? Ça ne devait pas dater d'hier et, pendant des siècles d'occupation anglaise, les Irlandais avaient pris goût aux incendies. À Clarenbridge, on était assuré que le patron du pub qui porte encore son nom ne se laisserait pas rôtir aussi facilement. Connu dans l'Ouest pour son humeur volatile, ses coups de gueule, il virait les têtes qui lui déplaisaient, ne servait pas les dames au comptoir et affichait sur la porte d'entrée un furieux « Interdit aux enfants ». J'écris cela bien des années après sa mort quand son pub est devenu un restaurant ni bon ni franchement mauvais où l'on déjeune et dîne dans une obscurité qui a le mérite de dissimuler ce qui nage ou colle dans l'assiette. Les huîtres de la baie de Galway y sont intéressantes mais inférieures à celles de Moran's, au Weir, à deux kilomètres à peine de Clarenbridge. Mystère des parcs ! À l'époque dont je parle, on ne venait pas chez Paddy Burke pour ses huîtres, on venait pour lui, par une de ces attractions masochistes qu'exercent certains patrons de bar mal embouchés, coléreux et pourtant complices, fraternels avec les clients sérieux. Admis dans le cénacle, on se prend pour quelqu'un.

Sans que personne s'en plaignît, une trentaine de chevaux bloquaient la circulation sur la grand-route de Galway à Limerick. Encore enfermée dans son van, la meute aboyait à fendre l'âme. Les camionneurs arrêtés descendaient boire une pinte avec l'équipage. À cheval déjà, on comptait quelques habits rouges, des vestes noires, un curé en redingote et haut-de-forme, et aussi des fermiers, en jean et bottes de caoutchouc, montés sur des rosses, des poneys pie ou un pur-sang en semi-retraite. Le spectacle rappelait ces caricatures du XIXe siècle (« La poursuite de l'immangeable par les infréquentables », disait Oscar Wilde), mais la scène se déroulait en Irlande où régnaient une liberté d'allure et de parole, une gaieté qui ôtaient toute prétention au cérémonial si rigoureux en Angleterre et en France. J'avais du plaisir à voir C. cambrée sur sa selle, avec cette grâce qui ne l'a jamais quittée. Portant un plateau de verres de porto, de pintes de bière ou de stout, de whiskey, un serveur zigzaguait entre les cavaliers. Encore à pied, en veste rouge et bottes à revers, un homme au visage poupin malgré une jeune cinquantaine plongeait dans le coffre de sa voiture rempli de bouteilles et de gobelets qu'il offrait à la ronde : les verres pour les membres de l'équipage, les gobelets pour les suiveurs à pied. Tous ces alcools, ces bières provoquaient des réactions immédiates : les hommes confiaient leur cheval à un groom et partaient se soulager dans la rivière à l'abri d'un petit pont tandis que les dames se bousculaient en piétinant à l'entrée des « facilités » archaïques du pub. La meute libérée et le maître d'équipage ayant sonné, l'équipage s'étira au petit trot, engagé sur une route transversale qui menait droit à un sous-bois. Avec un calme parfait ou une indifférence calculée, l'homme aux bottes à revers ferma le coffre de sa voiture, coiffa un haut-de-forme maintenu par une jugulaire qui sciait son double menton. À son côté, une femme, nettement son aînée, en ciré jaune fluorescent, maintenait par la têtière un cheval piaffant. Plus leste qu'on ne l'aurait cru, il se mit en selle et passa devant moi :

— Bonjour ! Il faut nous voir, Anthony L. m'a parlé de vous. Nous vous attendons ce soir à Woodlawn. Je suis Derek T.

Au trot, il s'éloigna pour rattraper la chasse. Un si fort accent teintait son français qu'on pouvait le croire affecté. La femme qui, un instant auparavant, retenait le cheval pendant que son mari abreuvait généreusement la compagnie me rejoignit.

— Anthony nous a dit qu'à Noël vous chassiez chez lui dans le Cumbria. C'est un vieil ami de Derek. Voilà un plan pour aller à Woodlawn. Sept heures. Pas de cravate noire. Nous serons entre amis. Je suis Pat T.

Sous l'absence d'affectation de l'invite tombée comme un ordre, affleurait un ton de supériorité, ce signal qui, dans la société anglaise à laquelle elle appartenait manifestement, rappelle les hiérarchies aux ignorants étrangers. Poliment, je lui donnais une dizaine d'années de plus qu'à Derek. Peu après, nous apprîmes qu'elle avait déjà eu plusieurs maris, enfin deux au moins, avant d'épouser Derek, dernier *gentleman of leisure*, gentilhomme de loisir, de notre Ouest irlandais.

Woodlawn se révéla être une massive gentilhommière héritée du XVIIIe siècle, inchauffable sans une armée de domestiques pour entretenir les feux de bois dans chaque pièce et les couloirs. Les murs n'étaient pas tout à fait nus et, pour masquer en partie les espaces jaunis et poussiéreux laissés par la vente ou la saisie de portraits de famille, les T. avaient accroché quelques gravures représentant des paysages rustiques peuplés de vaches et de moutons longtemps restés dans les combles, cadeaux d'invités de passage. À la nuit tombante, nous avions à peine deviné le parc ou ce qu'il en restait, mais le mois suivant, priés cette fois à déjeuner, nous en eûmes une vision apocalyptique : ne restaient plus que les souches des arbres précieux qu'un ancêtre avait rapportés de ses expéditions aux Indes occidentales et orientales et les terres attenantes étaient vendues depuis beau temps aux petits fermiers dont l'étau se resserrait autour de Woodlawn. Quant à la maison, en plein jour, elle pleurait de détresse dans sa splendeur borgne, avec la plupart de ses fenêtres condamnées, mais à notre première visite, la nuit, elle gardait encore de son arrogance dans un paysage de tourbières et de pauvres champs. La salle à manger faisait penser à ces décors de théâtre avec de fausses portes débouchant sur des coulisses encombrées de machinerie, de meubles en toc, de passerelles et de poulies, à ceci près que le vestibule d'entrée et les couloirs étaient ici d'un vide dramatique. Dans le salon encore meublé défraîchi, restait un grand portrait en pied d'une belle jeune femme des années vingt, une main posée sur l'épaule d'un petit garçon joufflu aux cheveux de fille, en jodhpurs et veste cintrée. Sous les traits boursouflés qui laissaient aux yeux un minimum d'ouverture, on reconnaissait encore en Derek le garçonnet du tableau, mais était-ce vraiment bien lui en veston d'intérieur de velours violet à revers de soie argentée, pantalon de smoking et aux pieds des chaussons noirs brodés de têtes de renard ? Mark Bence-Jones venait de publier *Twilight of the Ascendancy* (difficile à traduire autrement que par « Crépuscule des maîtres » bien que le mot maître corresponde mal au féodalisme anglo-irlandais) auquel Derek ajoutait un chapitre tragi-comique.

J'ai oublié les autres invités, probablement des membres de l'équipage des Blazers qui entretinrent sur la chasse du jour une conversation très au-dessus de mon entendement. Pat se levait pour servir et Derek s'occupait surtout de déboucher les bouteilles et de remplir les verres, parfois le sien seul mais surtout parce qu'il buvait plus vite que nous. Son visage s'empourprait, il allumait cigarette sur cigarette sans rien toucher dans son assiette, le verbe haché par le bégaiement chic qu'à certains moments il oubliait. Quand, au fromage qui terminait le dîner, apparut la carafe de porto, il se servit un grand verre, la passa à sa voisine de gauche et s'inquiéta de ses chiens. Pat le rassura :

— Ils vont très bien.

Et comme je lui tendais la carafe, elle la prit, se servit et la poussa vers son voisin de gauche alors que j'espérais remplir mon verre. Devant mon geste maladroit, elle me remit à ma place :

— Vous avez passé votre tour. Attendez le prochain.

Peu après, importuné par les vodkas, les vins blanc et rouge, le porto et un médiocre cognac, je demandai les toilettes.

— C'est loin, dit-elle, au premier étage et mal éclairé, prenez une bougie. Le mieux est de sortir. Mais pas sur le perron, s'il vous plaît. Allez jusqu'au gazon.

Dehors on n'y voyait rien non plus. J'eus la chance de ne pas manquer une marche et m'arrêtai quelques pas plus loin. J'allais me soulager quand éclata un tonnerre d'aboiements. Deux mètres de plus et j'aspergeais la grille du chenil des cinq beagles.

— Vous avez réveillé les chiens, me reprocha Pat à mon retour sur le ton d'une jeune mère dont un invité incontinent a réveillé les quintuplés.

31

Derek poursuivait un discours dont il me paraissait seul tenir le fil. À la lueur des chandeliers, on voyait son ombre chinoise dansant sur le mur nu, le cou rentré dans les épaules, le bras tendu portant une tache rougeâtre, son verre de porto. Détail qui m'avait échappé à l'arrivée, un superbe accroc pendait à son coude. Le veston d'intérieur était visiblement neuf et, à moins qu'il eût été attaqué par un chien, cet accroc était voulu de main de maître. Derek avait-il encore un valet de chambre pour étrenner ses chaussures pendant six mois avant de les enfiler ? Sûrement pas. Alors, on l'imaginait trempant ses chaussures d'un grand bottier dans l'eau, les laissant macérer jusqu'à ce qu'elles prissent de l'âge, puis les cirant lui-même comme il se doit pour un gentleman.

Chaque fois que je pense à Derek T. — et c'est plus souvent que je ne l'aurais imaginé ce soir-là —, chaque fois me revient le triste diagnostic : fin de race. Il symbolisait à la perfection cette moyenne aristocratie anglaise venue, des siècles auparavant, s'installer en conquérante sur les traces de Cromwell. L'Irlande l'avait lentement phagocytée, lui dérobant ses vertus et lui distillant le lent poison de sa paresse dans un curieux mouvement de balance. Quelques-uns de ces Anglo-

Irlandais avaient réagi, passant, avec superbe et au péril de leur vie, dans le camp opposé à leur patrie d'origine et mettant au service de perpétuels insurgés qui rêvaient d'indépendance le talent, l'intelligence et le cynisme politiques qui avaient tant manqué au cours de mille jacqueries étouffées dans des bains de sang. Derek n'était pas un imbécile, mais peut-être avait-il décidé de le paraître et de se réfugier dans la futilité pour continuer de vivre pavillon haut alors que le navire avait sombré depuis déjà plusieurs décennies. L'Irlande sortait d'un long tunnel et allait se joindre à la Communauté européenne. L'arrêt de mort des gentilshommes de loisir était signé. Derek ne pouvait l'ignorer. Nous découvrîmes bientôt qu'il vendait tout. Ce dîner était le dernier de son argenterie qui partait le lendemain chez un commissaire-priseur de Dublin. Le reste — très peu — ne tarderait pas à suivre, mais il continuait de chasser à courre, de laisser des ardoises chez le tailleur et le marchand de vins et spiritueux, de projeter un voyage en Grèce. Quand le désastre frappe à la porte, il n'y a plus d'espoir et de paix que dans le jeu des apparences.

À un moment de ce premier dîner, il disparut et, comme il se faisait tard, je proposai à C. de rentrer. Nous avions près d'une heure de route dans une nuit glaciale. Pat nous pria d'excuser Derek :

— C'était une longue journée pour lui. Il s'est peut-être couché.

En opérant un demi-tour devant le perron, les phares éclairèrent le chenil et les yeux des beagles brillèrent férocement. Couché au milieu d'eux, la nuque appuyée contre une niche, Derek reposait, les mains jointes sur le ventre.

À condition de ne pas le fréquenter trop souvent, de le voir comme une récréation hors de mes curiosités habituelles, Derek n'était pas dénué d'intérêt. Pour un écrivain, je veux dire pour un romancier. Evelyn Waugh aurait pu le glisser tel quel dans un de ses romans et le lecteur aurait souri de cette caricature à peine plus exagérée que celle des personnages de *Vile Bodies*. Un bouffon, oui, mais aussi la pathétique illustration d'une classe de la société qui, voyant s'effondrer son statut et ses privilèges, continue de vivre comme si de rien n'était et sans amener le pavillon. Si Derek en était affecté en son for intérieur, la discipline qu'il s'imposait — la futilité comme un devoir — interdisait non seulement la moindre question ou le moindre apitoiement, mais invitait au spectacle. À quel moment craque-rait-il ?

Quand Woodlawn fut vendu aux enchères pour quelques milliers de livres qui suffirent à peine à apaiser les inquiétudes du tailleur, du garagiste, du marchand de vins et liqueurs et du loueur de chevaux, les T. prirent un appartement dans les communs d'un château voisin de Gort. Plus la gloire, mais encore les apparences. Le grand por-trait de Derek et de sa mère n'aurait pu être accroché au mur d'un appartement si bas de pla-fond et je gage qu'il est maintenant aux États-Unis où, dans les classes nouvelles, on a besoin d'ancêtres.

Nous aurions décliné une invitation à dîner si les T. ne nous avaient promis William King, ancien officier sous-marinier qui venait d'accom-plir un tour du monde en solitaire sur une espèce de jonque gréée en goélette et munie d'un pilo-tage automatique de son invention. Ce beau marin, au teint cuivré, aux cheveux blancs bou-clés, doté d'un nez injuste pour un si mâle visage, se révéla plutôt décevant comme c'est le cas de la plupart des navigateurs solitaires (je fais une exception pour Olivier de Kersauson) mais peut-être l'écrasait la présence de son bas-bleu de femme, Anita L. Face à l'aventureux visage de son mari, elle était — avec ses paupières de crapaud, un menton fuyant et une denture de cheval — d'une laideur égale à son snobisme. Une première question brûlait les lèvres : « Pourquoi, Bill King, après votre premier tour du monde, au lieu de revenir à Plymouth, votre point de départ, n'avez-vous pas continué comme le fit Moitessier ? » N'importe qui, à sa place, aurait tourné en toton sans mettre pied à terre plutôt que de retomber dans les serres de ce dragon féminin qui, tout de suite, nous remit à notre place avec un mépris spontané. N'était-elle pas apparentée à Churchill ? Je n'avais qu'à lire *The Marlborough Set* dont elle venait de publier le troisième et dernier volume. L'aveu que, travaillant beaucoup, lisant surtout en français, cette saga m'avait échappé me valut une réplique dont je médite encore le sens :

— Bien sûr, ce n'est pas étonnant : vous êtes un écrivain *professionnel*.

Peut-être entendait-elle par là que, en dehors des armes et, sans doute, de la politique — mais au plus haut niveau —, s'agite inconsidérablement la plèbe des « professionnels » dont, a priori, j'étais, puisque, selon la rumeur publique, je vivais de mes livres, et même plutôt bien. Quelle vulgarité !

En vain, au cours du dîner, essayai-je de faire parler King, mais soit timidité, soit réserve à la veille de la publication de ses souvenirs (*Adventure in Depth*) dont il ne voulait pas déflorer les épisodes, il passait aussitôt la parole à sa femme et nous n'entendîmes pas de sa bouche les épisodes de son naufrage, comment il était resté la quille en l'air pendant un bon quart d'heure, arc-bouté, les mains au plancher de la cale, les pieds contre le roof, certain que si une vague avait retourné comme une crêpe le *Galway Blazer II*, une autre vague le remettrait debout. Ou, encore, au large d'Auckland, cette rare attaque d'un cachalot qui avait défoncé sa coque l'obligeant à garder tribord amures pendant plus de cent milles pour que la gîte lui permît de boucher la voie d'eau avec tout ce qu'il trouvait sous la main avant de regagner Auckland. L'homme qui avait vécu ça — et bien d'autres aventures encore — était là, devant nous, effacé ou ne s'enhardissant que pour parler de son élevage de moutons et de vaches à Oranmore, au fond de la baie de Galway dans le maigre domaine hérité de son grand-père.

Soirée ratée donc, mais l'idée de nous réunir partait d'une bonne intention et j'en remerciais déjà les T. quand ils nous annoncèrent qu'ils projetaient un séjour en Crète au mois de septembre. Eh bien, oui, nous serions à Spetsai à cette époque-là, et, naturellement, ils seraient les bienvenus sur le chemin de retour.

De la vente de Woodlawn restaient donc quelques sous et la vie de plaisir continuerait avec des passages à vide et de brefs retours de fortune. Le dernier de ces retours — nous le sûmes bientôt dans cette petite société fermée des Galway Blazers — était dû à la vente des Purdeys de Derek : deux nobles fusils du début du siècle par le plus grand armurier de chasse au monde, les derniers jouets dont un gentilhomme accepte de se séparer.

Leur arrivée à Spetsai fut parfaite en son genre. Pour lui, des vêtements d'été assez désolés mais qui rappelaient des temps meilleurs sous des tropiques imaginaires, pour elle des voiles vaporeux. Je crois qu'ils furent heureux, retrouvèrent des amis d'amis dans la société cosmopolite de Spetsai et de la côte en face. Derek voulut jouer au jacquet et je prévins les Grecs que, dans son innocence et son goût du panache, il n'avait sûrement pas les moyens de perdre. Une petite conspiration évita la catastrophe. Rapidement, ma cave, trop modeste en alcools, se vida. Il fallut faire appel aux bateaux de passage. Dans la journée par 35 ou 40°, l'apoplexie menaçait notre ami. Le soir, quand nous dînions sur la côte d'Argolide, il reprenait de l'entrain pendant deux ou trois heures, puis on le laissait dans un fiacre pour le ramener à la maison ou le sortir du bateau et le guider jusqu'à la maison par le raidillon. Affalé dans un fauteuil sur la terrasse, il mendiait un dernier *night-cap*. Les étoiles, le mouvement des bateaux dans le vieux port, les parfums du jardin — jasmin, belle-de-nuit —, l'enchantement des soirées grecques, je me demande s'il y fut sensible. Il était de ces êtres qui vivent dans une bulle et peuvent courir la Terre sans jamais en goûter l'étrange ou le merveilleux.

Au départ, il me montra un billet d'une livre sterling.

— C'est assez pour la domestique ?

— Elle préférera sûrement un billet de dix livres.

— Dieux du Ciel ! Je croyais qu'en Grèce on paye très peu les domestiques.

— Ce n'est plus le cas depuis le départ des Turcs.

Toujours cette ferme et confortable certitude que l'argent corrompt les « basses classes ». Cela dit, comment s'en indigner ? Élevé ainsi, il appartenait à ce type de fossile qui ne remet jamais en question ce qu'on lui a appris : un gentleman ne se salit pas les mains en travaillant. Voilà où se réfugie l'honneur quand il n'y a plus de guerres.

Quelques semaines après, nous le retrouvâmes à Athenry au premier rendez-vous de chasse des Galway Blazers qui rouvrait les plaisirs de l'automne. En veste de sport (une poche déchirée cette fois), pantalon de velours, coiffé d'un chapeau de tweed, Derek officiait derrière sa voiture au coffre ouvert, offrant à boire aux membres de l'équipage et, généreusement, à qui passait près de lui. À son habitude, il pérorait, le geste large, la voix claironnante :

— J'attends un nouveau cheval. La semaine prochaine, je suis avec vous.

On le complimentait sur son teint qui gardait trace du soleil grec.

— Nous y retournerons. Un peu chaude quand même cette Grèce...

À moi, me serrant la main, geste inhabituel :

— Il faudra venir dîner la semaine prochaine.

L'après-midi même, un garde-chasse le trouva en forêt de Gort, étreignant encore un fusil sur sa poitrine, la tête éclatée par l'explosion d'une cartouche de 6, méconnaissable, un chien couché à ses pieds. « L'honorable solution », disent les Anglais. Il ne laissait rien, même pas sa tête qui n'était plus qu'une bouillie de chair, d'os, de cervelle, de cheveux. Absolument rien. Le vide absolu, comme s'il n'avait jamais vraiment existé, ce qui est peut-être vrai, sauf que nous nous rappellerions toujours la comédie du matin, son enjouement, ses promesses de revoirs, les verres de whiskey offerts à la ronde, le cheval qui l'attendait pour le prochain rendez-vous des Blazers. Si la décision d'en finir avec la sordide accumulation des dettes datait de plusieurs semaines, c'était vraiment du grand art. Écartelé entre un monde figé dans ses traditions et un monde en plein éveil, Derek avait sauté dans le vide.

41

La question que je me pose encore est de savoir si Pat était au courant de la situation dans laquelle ils se trouvaient, si elle a pu soupçonner, ne fût-ce qu'une seconde, la conclusion dramatique mûrie par Derek. Il est probable que non. Deux êtres peuvent vivre côte à côte, s'aimer sans avoir besoin d'en parler par pudeur autant que par incapacité à laisser vibrer la corde sensible, et découvrir dans un coup de théâtre que l'autre a une vie secrète, mais il faut un coup de théâtre. Le savoir-vivre le déconseille.

Dans l'humble oratoire de l'Église d'Irlande où un pasteur lut un passage de la Bible et prononça une brève homélie à laquelle aucun des amis présents ne prêta attention, le cercueil reposait sur deux tréteaux entre les travées, sans fleurs, avec juste son gibus de chasse et une croix sans Christ. On y avait enfermé un corps sans tête alors que c'était cette tête que nous cherchions dans nos souvenirs encore frais et qui, déjà, se dérobaient, mais avait-il jamais eu une tête ? Pourtant, à l'heure des comptes, il avait su montrer du courage et s'infliger une mort atroce ensevelissant avec lui un temps qu'on ne reverrait plus, un temps absolument vain, mais qui, par sa vanité, son vide même laissait songeur. J'ai toujours été intéressé par les ultimes survivants d'un mode de vie condamné par la marche des siècles, puisant depuis mon enfance et jusqu'aujourd'hui dans les livres qui ferment une tombe : *Le dernier des Mohicans* de Fenimore Cooper, *Les aventures du dernier Abencérage* de Chateaubriand et le si beau *Qui se souvient des hommes...* que Jean Raspail a consacré au dernier des Alakalufs en Terre de Feu. Ce ne sont pas des tragédies, ce sont juste des pages que l'on tourne et qui tombent bientôt en poussière.

Poussée par la nécessité et moins stricte sur le code si bien respecté par Derek, Pat trouva du travail et devint cuisinière ou, plutôt, dorons la pilule : on fit appel à ses talents lors des cocktails. Elle préparait des amuse-gueules et mignardises sans perdre la face. En tablier, le cheveu pris dans un madras, gantée de caoutchouc, elle sortait de la cuisine et venait serrer la main des invités qui étaient ses amis, boire un verre de vin blanc avant de retourner à ses fourneaux.

À Kinvarra, le château fort de Dun Guaire a résisté aux cruautés des temps et à l'oubli des hommes. Orgueilleusement planté dans une anse de la baie de Galway, les pieds dans l'eau, veillé par de méprisants cygnes, Dun Guaire défend le port et ses gaies maisons bariolées de marron chocolat, rouge sang de bœuf, jaune jonquille, bleu du ciel et même blanc nuageux. Son donjon ne repousse plus les envahisseurs ou les rebelles, il est — ô déchéance ! — conservé pour distraire les touristes d'un soir : banquet traditionnel au dernier étage, rudes bancs de bois, mastoc tables d'hôtes sur lesquelles les servantes — j'aimerais les qualifier d'accortes, un cliché impossible, mais quoi d'autre ?... et elles le sont, accortes, comme si souvent en Irlande —, les servantes en costume médiéval posent des marmites fumantes de soupe ou d'un quelconque brouet qu'elles versent à la

45

louche dans les assiettes d'étain. Habillées long de velours prune ou vert pomme égayé de dentelles aux poignets et au généreux corsage, deux harpistes s'accompagnent en chantant des ballades anciennes. Le Seigneur de l'Ouest souffle **tous** les jours dans la baie et rosit les joues des jeunes filles. Dès que l'assistance est au complet, on éteint l'électricité pour allumer des bougies. Je parle par ouï-dire et d'après des prospectus. Il y a des amateurs pendant la bonne saison. Courte, il est vrai.

Ce n'est pas à ce tape-à-l'œil de bande dessinée que je pense, mais à lady H. qui avait rénové Dun Guaire et l'habitait. Cette énigmatique créature devait approcher les quatre-vingts ans quand je l'aperçus pour la première fois à un rendez-vous matinal de l'équipage des Galway Blazers, seule à monter en amazone, d'une si parfaite élégance qu'elle semblait sortir d'une pleine page de *Horse and Hounds* : le cheveu aristocratiquement gris certes, maquillée avec discrétion, juste assez pour que, sous les ravages, on retrouve les restes d'une de ces beautés que l'on dit sévères. Dédaignant la toque protectrice, elle se coiffait d'un chic tricorne comme on en voit dans les gravures du XIXe siècle. Une redingote noire serrait sa taille de guêpe et maintenait cambré un mince buste de centauresse. L'ample jupe d'amazone cachait des jambes dont on n'apercevait que les chevilles des bottes soigneusement cirées. Aux casse-cou de l'équipage, elle inspirait des égards sans une ombre de moquerie. À pied ou en voiture, je croisais parfois la chasse et voyais bien que, devant un obstacle difficile ou dangereux — haie sauvage, grille, barrière, mur, courant d'eau —, on l'attendait ou la précédait pour donner le *la* à son cheval. Quand elle sautait un mur de pierres sèches — si elle restait en selle — son corps se désarticulait et on aurait juré que, ballottée d'avant en arrière ou d'arrière en avant, sa tête allait se dévisser et rouler dans l'herbe ou sur le tapis de feuilles mortes d'un bosquet. Si ça s'était produit, personne ne pouvait douter que la cavalière poursuivrait sa chasse. Un galant membre de l'équipage aurait sûrement trouvé — même à la minute du taïaut — le temps de ramasser le chef dévissé encore coiffé du tricorne et de le rapporter à lady H.

Il lui arrivait de tomber sans raison apparente, en rase campagne. On la ranimait avec une gorgée de whiskey et elle remontait aussitôt en selle pour rattraper l'équipage. Un jour, sa monture refusa brusquement le passage d'une rivière en crue. On vit lady H. partir en vol plané et disparaître, emportée par le courant. Repêchée par deux ou trois vigoureux jeunes hommes, son maquillage ruisselant dans les rides, sa jupe trempée étalée sous elle, on crut bien qu'elle allait passer, vomissant de l'eau boueuse, secouée de spasmes. Une ambulance vint la chercher. À peine allongée sur le brancard dans la voiture, elle reprit les choses en main et se fit reconduire chez elle à Kinvarra. Le soir même, elle offrait un verre à ses sauveteurs, ayant pris le temps de se maquiller, friser et changer : une robe de chambre pervenche. Plus lady que jamais.

Le bruit courut que, ayant échappé à la noyade, elle avait convoqué un notaire de Galway et dicté son testament. Une des clauses spécifiait expressément qu'après sa mort sa dépouille serait livrée aux chiens de la meute.

Quelque chose s'était tout de même cassé en elle. Nul ne pouvait croire que désormais elle aurait peur. Plus probablement je dirais que, n'ayant pas rencontré la mort ce jour-là, elle l'attendit plus patiemment chez elle, dans ces pièces sombres qui, le soir, se teintaient des rouges dorés du couchant.

Peu après, à un carrefour, nous la vîmes dans sa vieille Ford, arrêtée sur le bas-côté, les mains sur le volant, suivant d'un regard amusé le carrousel des voitures. Imaginant qu'elle avait une panne et attendait un mécanicien tombé du ciel par je ne sais quel sortilège, je revins à sa hauteur et descendis pour m'approcher de sa portière à la vitre ouverte. Ce n'était pas indiscret de lui demander si elle avait besoin d'aide.

— Je rentre chez moi, dit-elle. La bonne route ne passe pas tout le temps. Il faut attendre et sauter dedans au moment où elle ralentit.

— Voulez-vous me suivre... ce sera plus facile.

— Je voudrais bien, mais le moteur ne démarre pas.

Ce n'était plus la même. Dans sa voix se glissaient une douceur, une faiblesse qui ne lui ressemblaient guère. Son sourire un peu farceur déchirait le cœur : une naufragée. Tourné vers C. qui m'attendait dans notre voiture, je lui dis que lady H. ne se souvenait plus de la route de Kinvarra. À notre grande surprise, elle m'interrompit en français à peine teinté d'accent.

— Mais si, mais si, je sais où je vais. Seulement c'est une autre route que je veux...

Elle se laissa convaincre — et peut-être est-ce

tout ce qu'elle souhaitait sans pouvoir l'exprimer — et passa sur le siège du passager. La Ford démarra au quart de tour, direction Kinvarra. C. suivait. J'arrêtai devant Dun Guaire et rangeai sa voiture.

— Eh bien, dit-elle d'un ton tout à fait rassurant, j'ai beaucoup aimé cette promenade. Je ne vous invite pas à monter. Je n'ai qu'une vieille domestique à mon service et sa tête est fragile, très, très fragile.

Nous étions pour l'été en Grèce quand elle mourut avec une délicate discrétion. En cas de mystère, il n'y a pour l'éclaircir pas mieux que de laisser libre cours à son imagination. Le testament ne stipulait pas qu'on livrât son corps aux féroces appétits de la meute qui, de toute façon, n'aurait eu que des os à ronger. Selon ses instructions, la femme qui la servait avec adoration depuis des années procéda seule à l'ultime toilette en tenue de chasse. Le plus difficile, semble-t-il, fut de la chausser de ses bottes d'un grand faiseur. Bien fardée, un sourire complice passait encore sur ses lèvres et les yeux clos réclamaient le silence. On ne cloua le cercueil qu'au-dehors après que son fils, venu de Londres, eut fermé la porte à double tour avec une énorme clé qu'il envoya un enfant jeter dans la baie. Si elle avait eu plus d'invention, le tour de clé aurait dû déclencher une gigantesque explosion ou mettre le feu à Dun Guaire, aux applaudissements de tout le monde.

Dun Guaire est revenu à l'État irlandais qui en a fait ce que l'on sait. Les témoins sont de moins en moins nombreux et ceux qui restent oublient vite. Le silence s'est épaissi au point que plus personne ne se soucie de le troubler.

Je ne passe jamais par Kinvarra sans évoquer la fine silhouette d'amazone désarticulée sur son cheval galopant vers les obstacles derrière le maître d'équipage. J'emmène Félicien Marceau, visiteur de l'été depuis des années. Nous ne pouvons pas toujours aller chez Moran's. Il faut, de temps en temps, s'assurer qu'il n'y a rien de mieux dans la région en essayant quelque autre rendez-vous qui tourne vite à l'échec et nous décourage de nouvelles aventures. Dans un pub-restaurant du port, une jolie serveuse grâce à qui on se montre moins exigeant sur la qualité de la cuisine est remplacée par sa mère, une petite dame bouclée à la jovialité provençale. Bourrue, elle bouscule les clients indécis et compose d'autorité leur menu. Nous nous laissons, Félicien et moi, imposer le « poisson du jour ». En fait de poisson du jour, c'est de la morue à peine décongelée et panée précipitamment. Le vin blanc bulgare est buvable. Quand je demande l'addition, en ajoutant :

— ... comme le poisson frais du jour n'était pas bien décongelé, je suppose qu'aujourd'hui tout est gratuit...

Très sérieusement, joignant les mains pour implorer notre indulgence, elle répond du tac au tac :

— Vous n'avez vraiment pas de chance, mon bon monsieur, c'est offert par la maison toute la semaine, sauf le samedi, et Dieu, qui pense à tout, fait que nous soyons justement un samedi.

Elle me paraît d'une humeur si plaisante que je lui parle de lady H. Elle lève les bras au ciel :

— Si on l'a connue ici ? Et comment ! C'était une reine. Dès son arrivée à Kinvarra, ils ont été à ses pieds. Un mot et le plombier, l'électricien, le couvreur, le maçon, le menuisier accouraient dans la minute. Je me demande si un seul a osé lui demander d'être payé. Au docteur Powell, elle a raconté sa vie. C'était un secret, mais quand les gens sont au paradis, il n'y a plus de secrets sur la terre. On ne s'appartient plus. Le docteur nous a dit que dans sa jeunesse elle avait été modiste à Londres et chez vous à Paris, avant d'épouser cet Anglais, lord H. Un mariage blanc. Malheureusement, un bain après son mari dans la même baignoire l'avait engrossée. Bien que mère, elle était vierge.

Le cas ne se discute pas et se répète seulement une fois tous les deux mille ans...

Au retour, passant devant Dun Guaire, je vois un énorme autocar dégorgeant une flopée de touristes qui suivent un guide avec des airs de chiens battus. En file indienne, ils passent le pont et sont avalés par la poterne du château. Depuis des années, je ne les ai jamais vus en sortir.

Deux ans de suite, nous logeâmes, l'automne et l'hiver, dans un country-club pompeusement nommé Castle Colgan sur la route d'Ardrahan à Ballindereen, une campagne de bois, de marais à bécassines et d'étangs à canards. En fait de château, je crois plutôt qu'il s'agissait d'une ancienne retraite de moniales. La chapelle désaffectée servait de garage et dans le bar on n'avait pas osé, ou pas pensé, décrocher le crucifié qui baissait les yeux ou détournait la tête sans doute dans la crainte de passer pour un rabat-joie les soirs de fête. Au premier étage, cinq ou six chambres donnaient sur un long couloir à la moquette d'un violet phosphorescent au-dessus d'une salle à manger et d'une piscine chauffée que nos enfants étaient bien les seuls à utiliser. Le grand parc autour de Castle Colgan avait connu meilleure gloire. Subsistaient encore d'admirables chênes, une forêt de hêtres et de jeunes pins. Une rivière à truites opérait une boucle à l'intérieur de la propriété, mais je ne suis pas pêcheur. En revanche, d'une éminence boisée, on dominait quelques cultures et le soir, à la passée, des vols de pigeons regagnaient en flèches leurs perchoirs. Caché derrière un muret, un bon tireur réalisait de jolis cartons qui amélioraient les menus des dîners assez monotones. Par deux fois, à Noël, le personnel disparut pendant une semaine. Le jeune cuisinier nous laissa des plats à réchauffer ou décongeler. Nous changions de table à chaque repas, abandonnant les reliefs aux souris et aux chats nocturnes, si bien qu'au retour des serveuses et du plongeur, il fallait le chariot des jours de fête pour débarrasser les tables. Les vendredis et samedis soir, le bar se remplissait d'une bruyante horde qui s'égaillait au coup de gong de minuit. La plainte des grands chênes harassés par le vent d'ouest et le cliquetis des ardoises du toit succédaient aux éclats de voix. En fait, à part les heures d'ouverture du bar, nous étions à peu près chez nous, seuls pensionnaires d'une entreprise aux faibles moyens et d'un amateurisme tout à fait irlandais, c'est-à-dire d'un charme désarmant. Si mon souvenir est exact, j'y ai beaucoup travaillé et beaucoup lu dans une pièce étroite meublée d'une large table à la laideur très victorienne et d'un grand fauteuil dans lequel la mère abbesse avait dû recevoir les confessions de ses brebis. Chassant ou simplement marchant, j'ai commencé là et achevé un roman tout imprégné des paysages d'herbe brune, d'étangs noirs, de tourbières et de rocailles (nous étions près des falaises de granit du Burren), je parlais avec les fermiers des environs et allais m'asseoir au bord de la baie de Galway sur une plage de galets gris où les goélands se posaient par centaines.

Le matin, l'arrivée de Tim, le facteur, était un des plaisirs de la journée. De ma fenêtre, j'apercevais sa longue silhouette passant la grille du parc, pédalant avec une lenteur calculée sur son antique vélo, couvert d'un ample ciré jaune qui englobait le guidon et la sacoche de vieux cuir contenant le courrier. Parvenu sous l'auvent de la porte principale, il ôtait sa casquette à visière de cuir bouilli, découvrant un casque de cheveux blancs coupés au bol. Contre le vent, dans la pluie insistante, il apportait des nouvelles du continent et des paquets de livres. Chaque fois, nous bavardions un moment, en particulier de la chasse. Il s'y connaissait fort bien et n'avait arrêté qu'après un accident : butant sur une racine, il s'était tiré une cartouche de petit calibre dans le pied. Beau vieillard sec, au visage couturé de rides, il approchait les soixante-dix ans et refusait de prendre sa retraite, persuadé que sa tournée quotidienne par tous les temps le maintiendrait en forme *ad vitam aeternam.*

— Tous ceux qui prennent leur retraite avant l'heure signent leur arrêt de mort.

Ce n'est pas faux. De Ballindereen à Ballindereen, il devait parcourir dans les trente kilomètres par jour, coupés d'arrêts fréquents de ferme en ferme, de cottage en cottage.

— Les chiens sont, disait-il, le seul ennui. Mon arrivée les rend furieux.

Depuis l'Antiquité, il y a un problème entre les facteurs et les chiens. Ça doit être dans les gènes. Tim tenait de Prométhée quand il gravissait, debout sur les pédales, la légère pente qui menait à nous. L'après-midi, on le retrouvait dans l'épicerie-bureau de poste de Ballindereen, près d'un feu de tourbe. Il triait déjà le courrier du lendemain dans l'odeur de hareng saur, de biscuit moisi et de pétrole de l'humble boutique. Ses grosses mains gercées classaient la correspondance et les paquets. En cas de doute, il se levait pour approcher l'enveloppe ou l'étiquette de l'unique ampoule couverte de chiures de mouches, suspendue par un fil douteux au plafond qui craquait douloureusement à chaque pas d'un ancêtre confiné dans l'attique. Je parle d'il y a à peine plus de trente ans. Maintenant, Ballindereen est un riant village en couleurs, rose et vert, les quelques maisons ont des géraniums aux fenêtres, de gais jardins, et j'éprouve de la peine à me remémorer son dénuement il y a si peu d'années.

Le premier hiver, Tim fut soudain remplacé par un postier à mobylette, signe avant-coureur que la modernité ne nous épargnerait pas. Ce jeune homme aimable et même jovial me parut moins précautionneux avec les paquets de livres et les journaux. Il ne perdait pas non plus de temps en vaines considérations sur la pluie ou les timides apparitions du soleil. Quand je lui demandai si Tim prenait sa retraite ou se faisait porter malade, il me répondit que non, pas du tout :

— Tous les deux ans, à la même époque, il s'offre des vacances en Californie, chez sa fille qui tient un salon de coiffure à San Francisco.

Tim passant directement de son vélo antédiluvien à un jumbo Boeing, coiffé de sa large casquette de facteur, engoncé dans son costume noir du dimanche, son bas de pantalon serré dans des pinces découvrant ses immenses croquenots, et atterrissant à Frisco dans l'admirable lumière de cette ville si claire et si gay, était difficile à imaginer et peu plausible. Dans les rues de Chinatown ou à Fisherman's Wharf, comment le regardait-on, si même on le regardait, tant il est vrai que cette ville est si explosivement originale que ses nombreux originaux y passent inaperçus. Alors ce grand Irlandais, maigre et musclé, aux joues rosies par le froid, la grêle, la pluie glacée, au regard bleu qu'une cataracte commençait à peine de voiler, Tim de Ballindereen, pouvait fort bien passer pour un comédien échappé d'un tournage ou de la scène pendant les répétitions du *Baladin du monde occidental* de Synge ou d'une pièce de Sean O'Casey comme *La charrue et les étoiles.*

Le jour où il reprit son travail, des hallebardes tombaient, une de ces pluies torrentielles auxquelles rien ne semble pouvoir résister. Les maisons les mieux calfeutrées s'imprègnent d'eau et l'air que l'on respire en est gorgé au point qu'on se croirait dans un aquarium même si, une heure après, un soleil radieux inonde le paysage. Tim aurait pu attendre avant de s'élancer sur les routes, mais je suppose qu'après un repos forcé, il craignait de s'engourdir, de rompre la chaîne à laquelle il était attaché depuis des années. De l'entrée du parc, je vis à sa silhouette courbée, aux zigzags de son vélo qu'il peinait comme rarement et serrait les dents. Maudissait-il la chère vieille Irlande retrouvée, fouettée par les éléments comme si elle n'avait cessé de pécher depuis sa création ? Tim gardait son bon sourire et entrouvrait la toile cirée protégeant ses messages du jour.

— Alors, Tim, comment était San Francisco ?

— Ma fille voudrait que je vienne vivre avec elle dans sa jolie maison avec une piscine. C'est vraiment une bonne fille et ses petits sont très beaux, mais cette ville qui monte et descend, la foule, le bruit, le soleil, les tremblements de terre, tout ça ne vaut pas Ballindereen.

Et, depuis, chaque fois que je traverse Ballindereen, je pense à Tim qui préférait son village à San Francisco. Aurait-il aimé la métamorphose de son pays, les maisons peintes ou chaulées, la profusion de géraniums aux fenêtres, les jardins bien léchés, les voitures des touristes qui passent en trombe vers Kinvarra ou Ballyvaughan, l'assèchement des marais ? Aurait-il une larme pour la triste épicerie-poste, la route noyée à la moindre averse, l'église glaciale et la pompe à essence dont l'épicière manœuvrait le levier avec une énergie farouche qui donnait à rêver ?

Impossible d'évoquer Tim sans aussitôt penser à Patrick-Joseph Smith que, dès notre installation à Tynagh, nous appelâmes vite, à la mode du pays, Pat-Jo. Comme le facteur de Ballindereen, c'était un grand maigre aux joues creuses rasées — mais mal, laissant des touffes de poil follet ici et là —, au nez aquilin, au teint couperosé, au large front ridé sous les cheveux blancs en désordre. Je l'appelais le vieux Pat-Jo (mais « vieux » traduit mal *old* qui a une connotation fraternelle et amicale) jusqu'au jour où je le découvris mon cadet de dix ans. Il passait pour un des derniers bâtisseurs des murs de pierres, les tristement célèbres murs de la faim qui découpent en damier de dentelle l'Ouest irlandais. C'est vrai qu'ajuster ces murs de grosses pierres, ramassées dans les champs où, sans répit, elles poussent comme de mauvaises herbes, est un art.

Pat-Jo apparut un matin en costume trois pièces — disons : chiffonné pour ne pas humilier son ombre si présente parmi nous —, chemise à carreaux, coiffé d'un feutre mou gris sur lequel un cercle noir de sueur tenait lieu de ruban, chaussé d'énormes pataugas de toile lacés avec des ficelles. Il conduisait un tracteur qu'à chaque pétarade on s'attendait à voir exploser, répandant sur la route les ultimes restes de sa carrosserie et les pièces rafistolées de son moteur. Un chien de berger, bâtard des excellents *rough collies* irlandais, suivait, debout sur une remorque et sautait dès l'arrêt pour ne plus quitter son maître. Un homme qui est aimé par son chien ne peut pas être tout à fait mauvais.

Au travail, Pat-Jo prenait son temps, mais, à la fin de la journée, il avait terminé un pan de mur, planté un nombre raisonnable de piquets pour un enclos ou réparé un toit, sans s'être arrêté autrement que pour bourrer sa pipe au culot charbonneux. Il tirait de sa poche une brique de tabac compressé et, à l'aide d'un couteau à cran d'arrêt, il en détachait de fines lamelles qu'il enfonçait du pouce dans le fourneau. L'autre main — à laquelle manquait l'index envolé un jour dans une scierie — allumait un briquet à essence d'où jaillissait une flamme de fer à souder. Taciturne les premiers jours, il se familiarisa avec ces étrangers venus d'une autre planète et nous découvrîmes son malicieux bon sens, une intelligence très supérieure à ce que l'on pouvait attendre de son rugueux aspect. C'était un homme libre, capable de disparaître pendant une semaine, de revenir inopinément comme si de rien n'était. Notre contrat resta des plus lâches : il apparaissait, disparaissait, reprenait sans un mot le travail où il l'avait laissé, toujours au même rythme, indifférent à la pluie, au vent, à la solitude si nous ne trouvions personne pour l'aider. Les jours ensoleillés, il gardait son feutre gris mais tombait la veste et la chemise pour rentrer la paille ou les foins, le torse nu harnaché de bretelles. Cent fois, j'aurais dû le photographier. Il ne s'en serait pas soucié, bien que le fixer ainsi sur papier me gênât pour d'obscures raisons qui tiennent au respect qu'il inspirait.

Parfois, après une trop longue absence qui nous inquiétait, j'allais jusque chez lui, à Duniry. Sa porte restait ouverte jour et nuit, en bordure d'un chemin vicinal, avec quelques prés au bord d'une rivière à truites et, devant, de l'autre côté du chemin, sous un auvent, un bric-à-brac amassé par lui depuis des siècles : vieilles charrues, herses, tonneaux de gasoil, réservoirs crevés, tracteurs démantibulés, piles de pneus hors d'usage et une forge avec un énorme soufflet au repos depuis longtemps. Il aimait encore bricoler et nous fabriqua une rôtissoire, des obstacles, des grilles, tout cela avec des matériaux de rebut et plutôt inesthétique, des sculptures de Tanguy mais en moins ennuyeux en fin de compte et qui ne lui ont guère survécu.

Je frappais à sa porte vitrée, sans succès, et finissais par entrer dans un sombre couloir sur lequel donnaient deux chambres et, au fond, une cuisine si ce n'est pas exagéré d'appeler cuisine une pièce avec un placard aux portes béantes sur de pauvres ustensiles et, abandonnés sur une table recouverte d'une toile cirée, un bol ébréché, des paquets de céréales, une poêle dans laquelle il devait se cuire de temps à autre des œufs et du lard. Au bruit de mon pas, il apparaissait en chemise de nuit, déjà chaussé de ses pataugas.

— Un moment, disait-il en passant sa main mutilée dans ses cheveux raides.

J'entendais les borborygmes d'un réservoir sous le toit. Tous les matins, il se douchait avec soin à l'eau froide et revêtait son éternel costume de ville et de travail qui mêlait une honnête odeur de crasse au parfum douteux d'un savon. Dans la cuisine où il avalait son bol de céréales avec du lait trait la veille d'une de ses vaches, nous échangions quelques mots sur les caprices des saisons, les gros titres du journal de la veille que je lui apportais et qui aurait aussi bien pu dater de l'an passé sans rien changer à ses propos désabusés. Si ses préférences allaient au Fianna Fáil, le parti des Combattants de la Foi, il ne votait pas (ou plus), trop sceptique pour encourager qui que ce fût. Comme un jour je déployais devant lui un quotidien dont la troisième page offrait chaque matin la photo d'une actrice ou d'un mannequin, toujours assez dévêtus, je vis son regard s'arrêter sur une belle fille.

— Pat-Jo, vous n'avez jamais eu envie de vous marier ?

Non, ça ne s'était pas présenté. À plus de cinquante ans, il ignorait encore l'amour.

— On a toujours le temps pour ces choses-là, me dit-il sans regret, laissant tout de même la porte ouverte à un espoir lointain.

Il fallut du temps pour découvrir que, les jours où il ne travaillait pas pour nous, il les employait à remplir les feuilles d'impôts ou les comptes de ses voisins, à leur préparer les plans d'une étable, d'une écurie. Né ailleurs que dans une famille de dix enfants («Jusqu'à mes douze ans, quand j'ai quitté l'école pour aider mon père, nous n'avons vécu que de patates à l'eau, une grande bassine que ma mère, de son fauteuil roulant, préparait le matin dans la cheminée. Je ne l'ai jamais vue que dans un fauteuil roulant et grosse de six lardons après moi»), né ailleurs, il serait devenu architecte, ingénieur ou entrepreneur sans probablement être plus heureux. C'était Diogène, mais sans la grosse farce du tonneau, sans la lanterne, sans la prétention de philosopher, satisfait du pain de chaque jour et insoucieux du superflu. Sa noblesse naturelle, sa réserve, l'éclair de malice qui brillait dans ses yeux quand on provoquait son humour interdisaient les questions.

Au début de nos relations encore épisodiques, il s'éclipsait à l'heure du repas pour se rendre chez une veuve qui partageait avec lui l'inévitable chou au bacon, un thé, des biscuits. Quand elle fut hospitalisée, il accepta de déjeuner chez nous avant, après ou pendant, retirant son chapeau et remettant sa veste. Il ne fallait pas trop le sortir des sentiers battus. J'admirais ce privilège très irlandais d'être partout à l'aise, de ne s'embarrasser d'aucune situation, l'exemplaire absence de barrière entre les êtres, ce tissu social sans esprit de classe.

Deux de ses sœurs religieuses vivaient cloîtrées et l'idée de leur rendre visite ne le taquinait pas. Un frère vivait en Angleterre et n'écrivait jamais. Les autres ? Ils n'avaient pas eu la chance d'une forte constitution... Depuis quelque temps, les choses n'allaient plus aussi bien pour lui. Il souffrait des pieds et devait porter plusieurs paires de chaussettes pour marcher. Nous l'encourageâmes à voir un médecin. Il revint de la consultation un peu étonné, presque fier :

— J'ai la lèpre, me dit-il. Ça ne se guérit pas.

— Non, en effet, mais on en arrête la progression.

Il ne parut pas très convaincu et quelques jours après revint avec un billet d'avion Dublin-Lourdes et retour :

— De toute façon, il y a longtemps que j'ai envie d'y aller.

Bien entendu, il n'avait jamais quitté l'Irlande (et peut-être même le comté Galway), ni pris un avion. Une première dont il ne s'angoissait pas. Sous la protection de la petite sainte et de la Vierge, ce voyage promettait beaucoup. Le fait est qu'il revint huit jours après, le visage rayonnant de bonheur. Au lieu des pataugas à ficelle, il chaussait des bottines neuves, certes pas de petite pointure, mais il marchait sans grimacer. Après un bain de pieds dans l'eau bénite pendant qu'il récitait son chapelet, ses brûlures squameuses avaient disparu. Finie la lèpre ou, en tout cas, fini le diagnostic du médecin de campagne. Entraîné par l'esprit d'aventure, avec un groupe d'Irlandais, principalement de religieux, il avait même pris un autocar et franchi la frontière espagnole. Ces brèves expéditions en terres étrangères lui laissaient un souvenir mitigé, mais quand, quelques mois plus tard, notre fils lui demanda de venir dans les environs de Paris où il s'aménageait une maison, Pat-Jo endossa le costume du dimanche et enfourna du linge dans son sac de voyage. Nous le retrouvâmes à Paris où, quittant son travail un dimanche, il vint déjeuner au restaurant des Ministères rue du Bac, inchangé, très à l'aise, pas effrayé du tout par la cuisine française, heureux de travailler pour Alexandre dans la maison qu'il aidait à restaurer, se plaignant seulement du bruit des voitures qui l'empêchait de dormir fenêtre ouverte. Alexandre avait eu soin de l'emmener visiter la tour Eiffel et faire un tour au

Louvre, de descendre avec lui les Champs-Élysées, sans réussir d'ailleurs à l'étonner. Je m'attendais à ce qu'il dise : « Tout ça ne vaut pas Duniry », mais non, il ne le disait pas, il allait retrouver sa maison glaciale, son vieux fourneau à bois, ses champs épuisés, ses quelques vaches et nous qui, désormais, lui tenions un peu lieu de famille sans excessives manifestations d'affection.

Il y eut une première alerte dont je m'aperçus en allant le chercher un matin. Comme d'habitude, toutes les portes étaient ouvertes, les céréales sur la table de la cuisine, une tasse de thé à moitié vide. Le voisin m'apprit qu'une ambulance était venue chercher Pat-Jo la veille pour l'emmener d'urgence à l'hôpital régional. L'y trouver ne fut pas une petite affaire dans le désordre des divers pavillons, une atroce plongée dans la série des misères du corps humain exposées sans pudeur, faute de place. Quand, après plusieurs Smith qui n'étaient pas le mien, je le trouvai goguenard en salle commune avec une douzaine d'autres malades, d'un mouvement de menton, il me désigna en face de lui des rideaux tirés autour d'un lit. Celui-là venait de partir et, lui, Pat-Jo, était encore là, bien vivant et

même, me semblait-il, en excellente forme malgré l'interdiction de fumer sa pipe au lit. Il la gardait sous son oreiller et me montra comment, en
rabattant le drap sur sa tête pour feindre de
dormir, il parvenait à tirer quelques bouffées.
L'ennui était le manque de tabac. Un mal facile
que je réparai aussitôt. Mais que lui était-il arrivé ?
Un malaise soudain, des vomissements, un bref
coma dont il se souvenait à peine. On ne le soi-
gnait pas, on le gardait en observation et il brûlait
de rentrer à Duniry. Sa chance fut que, cette fois,
on ne lui trouva rien. Le médecin y voyait plutôt,
paraît-il, les conséquences d'une bonne cuite à la
bière. Pat-Jo prenait parfois des cuites, le samedi
soir seulement, et avouait que, le lendemain, après
une dizaine de pintes, il se sentait moins bien,
mieux toutefois qu'à l'hôpital où on ne peut
fumer sans déclencher les sonnettes d'alarme et
les cris de l'infirmière en chef appelée ici la
« matrone », mot emprunté au vieux français et
souvent inadéquat, le personnel féminin des
hôpitaux irlandais étant plutôt agréable à lorgner
dans ses blouses de nylon transparent.

Il s'évada. Je ne vois pas d'autre mot, ni ne
connais d'autre explication. Comment parvint-il à
retrouver ses vêtements de jour, comment regagna-

t-il sa maison sans avertir personne, je ne sais... Il n'y eut pas d'enquête, l'hôpital archibondé, avec de nombreux malades en attente pendant des jours sur des brancards dans les couloirs, n'allait pas lancer un avis de recherche.

Averti, je le retrouvai chez lui frais et souriant comme après une bonne farce, même remplumé par une diététique plus rationnelle. Tout, cependant, ne reprendrait pas comme avant. Il ne bougea pratiquement plus de sa maison. Le voisin veillait sur ses quelques vaches. Un matin où je passai le chercher pour qu'il vînt déjeuner, il avait préparé un cadeau dans un papier journal :

— J'ai deux livres, mais ils sont imprimés trop petit pour mes yeux. Ils intéresseront sûrement Alice qui aime les livres comme vous.

Nous avons toujours ces deux tomes bien reliés de *Cyclopaedia of English Literature* éditée par Robert Chambers, publiée par William and Robert Chambers, Edinburgh, 1844, et je m'y réfère souvent pour le si riche XVIIIe siècle anglais. Comment cet ouvrage de pure érudition, fort complet (notamment sur Chaucer, Sterne et Tobias Smollett), comment était-il venu chez Pat-Jo en plutôt bon état ?

— Plus jeune, dit-il, je l'ai acheté à un brocanteur ambulant, parce que ça m'intéressait, mais je n'ai pas eu le temps de tout lire. On y cite trop de vers et je ne comprends pas la poésie.

Pat-Jo levait un coin de voile, pas plus. Il se détachait lentement de tout sans rien perdre de sa bonne humeur, le regard déjà attiré par un lointain ailleurs mais peut-être suis-je en train d'interpréter des signes dont l'évidence ne m'apparut qu'après sa mort. S'il prenait le ton de la confidence, c'était avec joie :

— Il y a un jour glorieux où je retrouverai les miens : ma mère, mais sans son fauteuil roulant. Elle sera guérie. Mes frères, mes sœurs, enfin tous ensemble. Ils seront très heureux de me voir, de me toucher pour être sûrs que c'est vrai, que je suis bien le miraculé de la famille grâce à la Vierge et à la petite Bernadette. Quand on est certain de ça, il n'y a plus que de l'impatience.

Il n'eut pas à s'impatienter longtemps. Quelques jours après, nous allâmes à l'hôpital régional. C'était déjà trop tard. Une soignante prit son visage à deux mains et le secoua :

— Hello, Patrick-Joseph, vos amis sont là.

Ses paupières se soulevèrent sur un regard d'aveugle et retombèrent aussitôt. La nuit même, il passa.

Quand on le descendit dans la fosse du cimetière de Tynagh, je me suis répété ses derniers mots. S'il avait eu des raisons de croire à des retrouvailles avec les siens, sa joie, en ce moment, devait être immense. Et s'il s'était trompé, une grâce spéciale avait nimbé ses derniers jours. Traversant un demi-siècle de grand banditisme international et de bouleversements sociaux Pat-Jo n'avait rencontré que de petits maux dont il souriait avec indulgence. À d'autres, il abandonnait le soin de guérir les grands maux qui sont irrémédiables et dont l'humanité souffrira toujours. Sa guérison « miraculeuse » à Lourdes n'ajoutait rien à sa foi. Comment aurait-il su gré à Dieu de Son bienfait puisque Dieu est le Tout-Puissant ? Rien ne Lui est difficile : un geste, un battement de paupière Lui suffisent pour apaiser la douleur des hommes. Les misères de la vie sont là pour qu'au jour de Gloire Ses créatures connaissent la béatitude. Si nous avions été en terre française, j'aurais aimé, à la dernière vision de son cercueil,

l'accompagner de quelques mots de Chateaubriand : « La vieillesse est une voyageuse de la
nuit : la terre lui est cachée, elle ne découvre plus
que le ciel. »

Les fidèles de la paroisse de Tynagh peuvent en témoigner comme moi : je ne suis pas seul à avoir assisté au bref retour d'un revenant du Paradis. Nous venions de perdre Father Campbell, notre curé. Je ne prétends pas que nous étions intimes, mais il nous avait donné des preuves de sa bienveillance, et cet ancien professeur d'histoire et géographie dans un collège de Ballinasloe était un homme cultivé. Il ne nous comptait sûrement pas parmi les plus assidus de ses fidèles, sauf aux enterrements ou aux mariages de quelques amis. Jamais il ne s'était permis d'aborder la question de la foi chez ce couple français et leurs deux enfants, mais, de temps à autre, les jours ensoleillés, au sortir de l'école voisine après une leçon de catéchisme, il nous rendait une courte visite, parlait de choses et d'autres, refusait la tasse de thé de rigueur, admirait le jardin et repartait, d'un pas tranquille, les mains nouées dans le dos. Il n'appartenait visiblement pas au nouveau catholicisme : toujours en costume noir et faux col blanc de clergyman, ses cheveux gris très drus soigneusement peignés, un visage intelligent et songeur. Un solide calme intérieur l'habitait. En haut lieu on n'avait pas pensé à lui pour un poste diocésain. Finir sa vie active dans cette paroisse rurale étendue et peuplée de modestes croyants sans problèmes ne rendait pas justice à cet homme de bien. Quelle inégalité hiérarchique quand on pensait à son évêque, Eamon Casey, un cynique truand sans vergogne ! Father Campbell acceptait sans amertume ou aigreur le sacrifice imposé par ses supérieurs.

Nous regrettâmes sa mort, ses discrètes apparitions sans autre objet que de banals propos remettant à un plus-tard indéfini toute conversation trop intime. À mon offre de lui prêter des livres, il m'avait assuré en posséder suffisamment pour meubler ses soirées au presbytère. Il ne lisait d'ailleurs qu'en anglais et en latin. En latin, je possédais bien *L'art d'aimer* et *Les remèdes à l'amour* d'Ovide ou les poèmes galants de Catulle. Il ne m'avait pas dit : *Vade retro !*, mais je comprenais bien que là n'était pas son champ d'intérêt.

Mort discrètement à l'hôpital — si discrètement que l'on ignorait son hospitalisation —, il nous épargnait la lugubre et traditionnelle exposition du corps : mains jointes, lèvres et joues fardées, le nez chaussé de lunettes (pour y voir quoi, dans la nuit éternelle ?).

Le corbillard allait débarquer le cercueil devant la nouvelle église. J'écris « la nouvelle » puisque c'est nous qui habitons l'ancien presbytère et utilisons comme remise l'ancienne église désacralisée et rendue à des tâches domestiques. De l'extérieur, l'église de la paroisse a plutôt l'air d'un hammam ou d'un complexe sportif. En revanche elle présente l'avantage d'être plus proche du village et dotée d'un parking et du chauffage central, modernités qui assurent les fidèles d'un minimum de confort utile au maintien des rites de la foi.

Il n'y a pas d'orgue. L'harmonium est tenu par une jeune sœur venue d'une communauté d'Athlone, bien en chair, les joues en feu, la gaieté même. Elle est la dernière fille d'une famille dont tous les membres sont si doués chacun pour un instrument particulier qu'ils ont pu donner des concerts de musique symphonique à eux seuls. Sœur M. a formé une chorale de garçons et de filles du village et des environs qui interprètent facilement une cantate de Bach sur un rythme pop.

On nous avait guidés vers le premier rang, non par déférence pour des étrangers, mais simplement parce que, à la suite d'une erreur, nous étions en avance. Cette église n'impose pas le silence. Si de l'extérieur elle évoque un complexe sportif, de l'intérieur, elle fait plutôt penser à un réfectoire. On se murmure des choses, on tousse, se tourne et se retourne pour voir qui est présent ou absent. Les enfants ne tiennent pas en place, posent à haute voix de naïves questions et les parents font encore plus de bruit qu'eux en essayant de les faire taire.

Enfin, presque à l'heure, l'arrivée de quatre malabars portant le cercueil imposa le silence. Habillés comme pour une noce, les malabars, concentrés par l'importance de leur mission, le visage enflammé par l'effort et les préliminaires du pub, longèrent l'allée centrale et déposèrent leur fardeau au pied de l'autel. L'idée me vient que, s'il avait encore quelque communication avec le monde, Father Campbell devait être ému de retrouver l'église qu'il avait sans doute mal appréciée de son vivant. Elle était l'image des dernières années de son sacerdoce sacrificiel. Ne finissons-nous pas tous, un jour, par regretter cela même qui nous indifférait en d'autres temps plus heureux ? Personne ne se serait vraiment étonné si, soudain, Father Campbell avait donné quelques coups de talon dans sa prison de faux chêne et commandé aux croque-morts de déclouer le couvercle pour lui offrir une dernière fois l'occasion de surveiller que tout était bien en place : les lys, les burettes, l'évangéliaire. Mais non, c'était bien fini. À l'intérieur du cercueil, la mort commençait déjà son lent travail de décomposition.

C'est alors, au moment où nous étions probablement à peu près tous en train de l'évoquer tel qu'il resterait dans nos mémoires, que Father Campbell est apparu en ses habits sacerdotaux, les mains jointes, murmurant une prière inaudible. Deux enfants de chœur et un novice le suivaient.

Tout ce qui peut nous passer par la tête en des moments pareils est si précipité, si troublant — surtout des années après quand on essaye de retrouver le déroulement de ses propres pensées — qu'on restitue mal un instant d'émotion en face d'un incident tout à fait irréel, sans être sûr que la mémoire n'en a pas altéré les données. Il est probable que le silence des fidèles ne m'a pas étonné, d'abord debout puis assis à un signe du novice. Je devais être victime d'une de ces hallucinations collectives qui s'emparent des assemblées les plus hétéroclites. Je n'avais pas bu, je ne rêvais pas, j'étais bien moi-même, ma femme était à mon côté pas du tout surprise par ce qui se passait — j'allais dire sur scène —, non, mais devant l'autel où Father Campbell tout à la fois prisonnier de sa bière et, debout, tourné vers nous tous et vers lui-même, dessinait un signe de croix dans l'air où flottaient les premières volutes d'encens. Nul, à cette minute, ne pouvait mettre en question sa double présence : l'une affligeante, l'autre parfaitement sereine. En écrivant « nul ne pouvait mettre en question », je m'avance beaucoup puisque je n'ai même pas eu le réflexe de me retourner. Logiquement, quelques dames auraient dû s'évanouir, deux ou trois hommes décidés se lever et prendre vigoureusement l'officiant sous les bras pour le jeter dehors comme on se débarrasse d'un trublion dans un pub. Ou, devais-je, avec l'assistance, céder aux mirages du surnaturel si propre à l'imagination irlandaise et croire à un quelconque phénomène de métempsycose ou à une improbable résurrection, toutes idées que mon pauvre agnosticisme refusait encore énergiquement malgré l'évidence. En ce siècle de mécréants, si l'on était un croyant ou, au moins, selon le mot de Pascal, un douteur, on avait le droit de se demander à quelle fin le Dieu des chrétiens réveillait Father Campbell paisiblement endormi parmi les bienheureux. Pour qu'il serve sa propre messe ? Pour qu'il rappelle aux vivants que la mort est aussi béatitude, que le Paradis est seulement une halte délicieuse, *lux, pax et refrigerium,* avant la grande Résurrection ?

Plus je regardais Father Campbell célébrer la messe à sa propre intention, plus je reconnaissais ses gestes, sa voix et, à l'instant de l'élévation, son oubli des vanités. Paralysé par ces constatations, la gorge serrée au point de ne pouvoir parler à C. qui semblait toujours trouver parfaitement naturelle cette résurrection pourtant inouïe, propre à ébranler le plus invétéré des agnostiques, je me sentais depuis quelques minutes abandonné, laissé en rade par l'absolue confiance des croyants autour de moi. Suivant ce réflexe qui m'habite encore — mais beaucoup moins —, ma main plongea dans ma poche pour y prendre une boîte de cigarillos, la panacée de mes blocages quand une page d'écriture n'avance pas. Sans C. je crois que j'en aurais allumé un si elle n'avait pas tapé sur le dos de ma main. La boîte tomba et les petits Davidoff roulèrent sous les bancs. L'inconvenance et la stupidité du réflexe ou l'ennui de ne pas oser me mettre à quatre pattes pour récupérer les précieux cigarillos rapportés de Paris et introuvables en Irlande ont dû me ramener sur terre, cette terre fût-elle à la merci des anciens magiciens de l'Église catholique.

Au fond, une explication plausible venait à l'esprit : j'avais mal entendu le nom de la personne qu'on enterrait. Ce n'était pas Father Campbell, mais un autre de nos paroissiens dont le nom se terminait aussi en « bell ». Notre excellent curé était bien vivant et j'eus envie de l'embrasser en lui disant combien cette méprise me désolait. L'homme qu'il préparait à l'éternité avait dû être un proche car, à plusieurs reprises, quand il se tournait vers nous, des larmes embuaient ses yeux. Marier, baptiser, administrer l'extrême-onction, enterrer doivent finir par cuirasser un prêtre, mais Father Campbell, sous des dehors plutôt froids, était — nous le devinions tous — un homme sensible. L'hypothèse, la seule hypothèse paraissait assez simple : je venais d'assister à un miracle. Dieu s'ennuie avec les bigots qui l'assiègent sans pitié pour des vétilles. De temps à autre, Il s'amuse cyniquement à provoquer quelques confusions parmi eux en envoyant sur terre un élu (particulièrement choisi !) assister un autre élu dans ses dernières relations avec le monde des humains. Le cas devait tout de même être rare, mais alors quelle âme Father Campbell officiant confiait-il à Dieu ?

La réponse, je l'entendis dans la bousculade de la foule qui entourait le fourgon prêt à emporter le cercueil pour son dernier voyage. Les quatre malabars l'enfournaient déjà. L'émotion de cette cérémonie si particulière tenait au fait que le prêtre à l'autel était bien Father Campbell, pas le nôtre mais son frère jumeau ordonné prêtre le même jour que lui, cinquante ans auparavant. La discipline de leur fonction avait maintenu une impeccable ressemblance entre eux. J'étais seul à l'ignorer. Cette confusion eut tout de même le mérite de me replonger dans les écrits de Philippe Ariès sur la mort et dans une histoire de ce Paradis qui tient une grande place dans l'imaginaire celtique depuis que le Christ a montré à saint Patrick l'obscur trou où ceux qui y passent une nuit et un jour purgent leurs fautes avant d'accéder au refuge des bienheureux. N'était-ce pas la même certitude qui habitait notre cher et dévoué Pat-Jo ?

Loin de l'étouffer, la foi ouvre en grand les portes de l'imagination et console les impatients, les endeuillés qui piétinent encore sur terre. Des amis, les K., vivant dans le comté Wicklow ont perdu leur fils, Richie. Dans la famille, on est étalonnier depuis des générations. Richie avait pris la succession de son père. C'était un bel homme, doux et volontaire, travailleur passionné. La ruade d'un étalon l'a tué net. Désarçonnés, les K. sont sortis de chez eux visiter des amis dispersés entre le Wicklow et le Galway. Conscient que les mots de commisération sont plus déchirants que consolants, je dis à Mrs. K. pendant le déjeuner :

— Là-haut, Richie a sûrement trouvé des chevaux à débourrer et monter.

Le bon visage de Mrs. K. s'est illuminé :

— Oh, oui… Sans ça il serait déjà revenu parmi nous.

Cette admirable consolation est le plus beau fruit de l'enseignement chrétien. Un zest d'humour irlandais refoule jusqu'à l'idée d'une larme.

Il arrive malheureusement, parfois, aux serviteurs de Dieu de détourner dramatiquement la confiance que leur fonction inspire. Ce fut le cas de Father Sean Fortune, curé de New Ross dans le comté Wicklow. J'ai sous les yeux une coupure de l'*Irish Times* avec la photo de cet indigne. L'article est d'Alison O'Connor qui a publié en 2000 : *A Message from Heaven — The Life and Crimes of Father Sean Fortune*. La seule photo suffirait presque à condamner ce prêtre : un visage boursouflé de mauvaise graisse ; une mince bouche sans lèvres ; le cou énorme remonte à la pointe du menton ; la nuque déborde en bourrelets du col blanc ; de petits verres fumés, comme en portent les faux aveugles, dissimulent le regard qu'on n'a aucune peine à imaginer porcin. Sa gouvernante a dû poser une soupière sur sa tête de macrocéphale et tailler au ciseau ce qui dépassait de cheveux raides comme des bâtons de réglisse. Cet hippopotame n'est pas un joyeux moine rabelaisien, protecteur des pauvres et des opprimés, pourfendeur de la sottise, c'est un monstre de lucre et de luxure, pédophile récidiviste, alcoolique, puisant dans la caisse des œuvres, repoussant de malhonnêteté. Sa chance est d'avoir pour évêque un séculier, Mgr Comiskey, rongé par l'amertume depuis sa nomination dans un diocèse sans éclat. Sa déception est-elle la raison de l'abandon de ce prélat à la dive bouteille et de ses séjours à l'étranger en cure de désintoxication ? En vérité, ce n'est qu'une âme faible et influençable manipulée par un vicieux rusé. Quand les plaintes des parents et des victimes de Father Fortune s'accumulent, Mgr Comiskey est bien obligé de les transmettre à la police. Il y en a 66 ! Manque juste un troisième 6 pour signer l'œuvre de Satan. À la première comparution devant un juge, Father Fortune nie énergiquement. Trop tard : les témoignages l'accablent. Il peut se parjurer, mentir au juge, à la police, se mentir à lui-même avec tant de conviction qu'il finit par y croire. La vérité explose, atroce, catastrophique pour le clergé irlandais. Rentré chez lui, prétextant un voyage, Father Fortune donne deux jours de congé à sa gouvernante et au jardinier.

Une froide nuit de mars 1999, ce monstre s'enferme dans son presbytère, tous stores baissés. Une boîte de somnifères et une demi-bouteille de whiskey scellent une vie d'insensées turpitudes et d'éhontés mensonges. Le whiskey était un viatique pour la longue route qui l'attendait : *one for the road,* disent les Irlandais, le coup de l'étrier.

La gouvernante et le jardinier le trouvèrent allongé sur son lit, un rosaire entre les mains jointes, un bréviaire ouvert à côté de lui. À quelle page ? L'enquête ne l'a pas précisé. Sur la table de nuit, il laissait un poème :

> *Du Paradis*
> *À ma famille, à lire au Requiem*

Dans une note, il accusait les calomnies de la presse et préférait partir pour un monde meilleur.

Une fois encore, il déjouait ses accusateurs et privait ses victimes de voir enfin éclater la vérité qui le confondrait.

Certes, il payait de sa vie la mise en scène grand-guignolesque et l'outrecuidant message, mais a-t-il vraiment cru que sa fin laisserait peser sur sa culpabilité un doute plus fort que ses méprisantes dénégations ? En prenant le Paradis pour nouvelle adresse, il devançait le jugement de Dieu et s'exemptait du passage par le « trou » ténébreux que Jésus avait dévoilé à saint Patrick. Father Fortune, en martyr qui a connu sur la terre des hommes son Purgatoire, d'autorité se plaçait à la droite de Dieu. Jusque dans l'au-delà, il restait diabolique : un Néron récitant ses prières tandis que brûle l'Église catholique d'Irlande à laquelle il a mis le feu.

Nous sommes à peine une douzaine dans un salon privé du traditionnel hôtel Shelbourne sur St Stephen's Green. À part un journaliste de l'*Independent* qui, venu m'interviewer dans l'Ouest, a pondu un article légèrement méprisant, et à part Christopher Sinclair-Stevenson, directeur littéraire de Hamish Hamilton, je ne connais personne. Je viens du Galway et repars demain pour quelques jours à Paris. Christopher est arrivé de Londres l'après-midi dans l'intention, je suppose, de nous montrer que Dieu existe, qu'il nous édite et ne dédaigne pas de nous paterner. Les quelques présents ont tous publié un livre cette année. La table du buffet offre des amuse-gueules, du Jameson et même une carafe d'orangeade au cas — très improbable — où il y aurait parmi nous un de ces abstinents que l'on appelle des *teetotallers*. Debout derrière le buffet, Christopher invite à se servir. C'est inutile : tous ont déjà un verre en main, sûrement pas le premier et j'aurai du mal à rattraper le temps passé à conduire sous la pluie et dans la nuit très tôt tombée. Les voix indiquent que les conversations augmentent déjà d'une octave.

L'assemblée est très différenciée. Je ne veux pas seulement dire qu'elle se partage en gros et en maigres, en petits et grands, en barbus et en glabres, mais, plutôt, que la tenue n'est pas uniforme et va du velours campagnard au jean du banlieusard en passant par le complet-veston du citadin-bureaucrate. Le plus flagrant est que deux groupes se sont constitués à l'écart l'un de l'autre. Grâce aux accents, il est facile de les identifier : d'un côté les Anglais — ou disons mieux pour ne vexer personne : les Britanniques (*Brits*) — venus de l'Ulster ou de Londres, de l'autre côté les Irlandais du Sud ou de l'Ouest. On dirait de deux équipes de rugby qui se concertent avant le match. Si une des intentions de Christopher était de briser la glace, je crains que ce ne soit pas très réussi. Il est là, notre éditeur, notre seul trait commun (les auteurs se lisant rarement entre eux, « On ne lit plus dès que l'on commence à écrire », disait Chateaubriand), Christopher Sinclair-Stevenson, protégé par la table portant le buffet, parfait en costume gris de Savile Row, chemise très bleue, cravate de soie grise.

Il n'aura pas besoin de siffler le début de la partie. J'ai à peine échangé quelques mots avec lui qu'une voix furieuse s'élève :

— Je vais botter le cul de cette roulure d'Anglais s'il ne sort pas tout de suite d'ici. Qu'est-ce qu'il vient foutre dans mon pays ?

— Ůlick ! Ulick ! Je vous en prie ! implore Christopher.

Un barbu en chandail d'Aran, le cheveu hagard a pris la porte sans se faire prier. Le combat n'a même pas commencé. Celui qui répond au prénom scandinave de Ulick est de taille moyenne, en élégant blazer bleu marine saupoudré d'une couche de pellicules sur les épaules, pantalon gris affaissé sur les « runners » à bout de force, mais la chemise impeccable est d'un orange vif avec une cravate jaune mordoré. Si l'on excepte de la confusion dans sa vêture, l'homme est sûrement beau : des traits fins à peine marqués par la cinquantaine, un nez parfait aux narines roses arquées par la colère dans un visage blême. Les cheveux gris artistement ondulés partent d'une raie à l'oreille droite pour se rabattre sur l'oreille gauche masquant une plus que probable calvitie et arrêtant un grand et noble front. L'interpellé ayant disparu, Ulick O'Connor — puisque c'est lui ! — se tourne vers moi :

— Ces Anglais, dit-il d'un ton désabusé, dès qu'on parle un tout petit peu plus fort qu'eux, ils fuient comme des lapins...

Pas très amical pour Christopher qui a vite repris des couleurs et, sortant de son refuge derrière la table du buffet, nous présente l'un à l'autre.

— Ce type, me dit Ulick sans écouter notre éditeur, vient s'installer en République pour écrire ses merdes et profiter du système de taxes imposé par Charlie Haughey. Qu'au moins ce « crypto-marxiste » ferme sa gueule quand on parle politique ici.

Sa colère tombe d'un coup quand Christopher répète mon nom.

— Ah, dit-il, tous les ans, au moment des fêtes, je vais à Paris. Huit jours et j'échappe à Dublin. Noël, ici, c'est la mort. Tout ferme. J'ai lu l'article de l'*Independent* sur vous ! Il faut se méfier et demander à relire les interviews. Ce qui intéresse la critique irlandaise, c'est de casser du sucre sur tout ce qu'elle touche, et quand il n'y a plus personne à démolir, elle s'autodétruit...

J'ai beau lui répéter que l'article était plutôt amical à part quelques piques peut-être justifiées, Ulick n'écoute rien. Quand je lui dis l'avoir vu dans l'émission de Gay Byrne si révélatrice de l'Irlande (*The Late, Late Show*), il s'étonne :

— Maintenant c'est fini. Gay m'a sacqué sans raison après m'avoir dit le dernier soir : « J'avais oublié comme vous pouviez être merveilleux. Au revoir… »

Oui, et bien que loin d'être un fidèle de la télévision, j'ai été étonné de le voir disparaître de cette émission caractéristique du talent irlandais dès qu'il s'agit de prendre la parole, mais ce qui me captive le plus en Ulick O'Connor, c'est son talent de biographe. Après son *Oliver St John Gogarty*, je viens à peine de terminer la lecture de sa biographie de Brendan Behan. Le surprenant dans ces deux livres, c'est le talent que les élites intellectuelles d'Irlande déploient pour hausser jusqu'à la tragédie antique les menus incidents de la vie. Ma question le trouble et il réfléchit, intéressé par son propre cas :

— Je ne suis pas comme ça !

J'en suis moins sûr que lui, mais nous n'allons pas lier connaissance en maniant, chacun, des explosifs. Au furieux qui, il y a trois minutes, virait un écrivain « étranger », a succédé un homme d'une extrême courtoisie demandant quelques secondes de réflexion avant de répondre. Ce terrain me semble dangereux et comme il paraît si concentré, le regard baissé, sans presque remuer les lèvres, je lui dis :

— Ne seriez-vous pas ventriloque ?

Il me regarde, stupéfait.

— Comment le savez-vous ?

Nos intuitions passent comme l'éclair et la minute d'après, malgré leur violence, disparaissent, inexpliquées, inexplicables. Sans aucun doute, j'ai touché un point sensible. Oui, c'est exact : il a été ventriloque. Et aussi prestidigitateur, bien qu'il soit plus fier d'avoir été avocat, défenseur des opprimés et des diffamés. À son CV, il ajoute orgueilleusement :

— Ventriloque, prestidigitateur, champion d'Irlande du saut à la perche et boxeur !

Détail que je connaissais aussi. Christopher, heureux que la glace soit brisée, parle en éditeur :

— Michel vient de publier chez nous un roman traduit magnifiquement par Julian Evans : *Where are you dying tonight* ? Le titre est emprunté aux *Diaries* d'Evelyn Waugh.

96

—Waugh parle de moi dans ses *Diaries*, dit Ulick ramenant tout de suite la conversation à lui-même. En 1956, nous avons, mon père et moi, dîné avec lui au Kildare Club. Il l'a noté : « ... un professeur de chirurgie et son fils avocat et pugiliste... » L'éditeur des *Diaries* d'Evelyn Waugh est un de mes amis, Michael Davie.

Christopher est rassuré. À partir du moment où Ulick cite des noms, l'humeur revient au beau fixe. Il est vrai que, dans la demi-heure suivante et à dîner puisque nous ne nous quitterons pas avant la fermeture de l'infâme gargote italienne où il m'a entraîné en assurant qu'on y mange les meilleurs spaghettis du monde, il est vrai que Ulick est la séduction même :

—Vous savez, dit-il, que depuis 1950 je suis peut-être le recordman du monde des K.-O. au premier round ? En 1980, j'ai encore fait trois rounds d'enfer avec Charlie Nash à l'entraînement avant son combat contre Jimmy Watt pour le championnat du monde des légers.

Christopher ne raffole probablement pas de la boxe et tente de ramener la conversation vers des sujets plus littéraires, bien que je sois en train de dresser la liste des écrivains qui ont aimé boxer : Hemingway, Jean Prévost, Maeterlinck, Norman

Mailer, un historien distingué, Pierre Bessand-Massenet, Morand qui ne l'a peut-être pas beaucoup pratiquée mais qui en a bien parlé dans *Champions du monde*. Ulick revient sur son fameux K.-O. :

— Quatre secondes après le coup de gong. Au tapis pour le compte. Une droite impeccable. La plus belle de ma vie.

Il esquisse son coup le poing fermé brandi sous le nez de Christopher qui garde son sang-froid sans reculer d'un pouce et revient à ses moutons :

— Ulick a publié *A Celtic Dawn : Portrait of the Irish Literary Renaissance*. Michel, il faut que vous lisiez ça. J'en ai apporté un exemplaire pour vous.

Oui, bien entendu, je le lirai dans les jours qui viennent et tenterai d'intéresser un éditeur français.

Promesse sans illusions. Les directeurs de collection sont les ombrageux gardiens de leur domaine. Comment expliquer ces cloisonnements à un impétueux Irlandais ?

— Je suis en train de traduire Baudelaire, dit-il.

— Tout Baudelaire ?

— Non… un choix : les pièces condamnées.

L'étonnement est qu'il ne parle pas français (ou si peu que c'est la même chose) et qu'en citant une

98

strophe ou même seulement deux vers un terrible accent les rend incompréhensibles, mais il y a de ces miracles : Giono ne savait guère d'anglais et sa traduction de *Moby Dick* est un bonheur.

Du problème posé par son ignorance du français, Ulick est tout à fait détaché et je n'ose pas risquer une allusion tandis qu'après avoir salué Christopher nous nous dirigeons vers l'infâme trattoria où il a, dit-il, ses habitudes. Une bonne heure se passe à l'écouter. Entre-temps, il renvoie une première fois les spaghettis parce qu'ils sont trop chauds, une deuxième fois parce qu'ils ne le sont pas assez. Le garçon est habitué et, comme Ulick tourne le dos à la lucarne par laquelle les plats viennent de la cuisine et y retournent, je vois la face hilare du cuisinier qui, chaque fois, se contente de mimer le signe de croix sur l'assiette avant de la renvoyer.

Le prétendu chianti est à peine buvable. Ulick s'embarrasse peu de ces détails et trouve de premier ordre cette piquette. Concentré sur ce qu'il raconte, il repousse d'un revers de bras les trivialités du monde, n'hésite pas à couper ses spaghettis au couteau et en laisse tomber la moitié sur la nappe en papier quand ce n'est pas sur sa cravate et son veston.

J'ai rarement vu un être dégager un tel charme et une telle persuasion dans un discours qui m'échappe en partie quand Ulick aborde les problèmes de l'Ulster, un terrain miné dont je me suis toujours tenu à l'écart.

Il parle, les lèvres serrées, son visage à peine animé. À la table voisine, la conversation s'arrête. On l'écoute sans manifester, attitude ambiguë dont j'ignore ce qu'elle cache. En fait, cette attention est seulement de pur intérêt et quand nous nous lèverons — moi saoulé de paroles, lui vacillant sans doute parce que je l'ai laissé finir seul la fiasque de faux chianti, puis, à l'air libre, se redressant avec fermeté pour marcher d'un pas de chasseur —, quand nous nous lèverons, la table voisine demandera un autographe, ce qui semble le flatter particulièrement en ma présence.

Sur St Stephen's Green, devant le Shelbourne où attendent deux taxis, j'ai vite la révélation des séquelles laissées par de récentes colères de Ulick. Les chauffeurs bloquent les portières et remontent leurs vitres. Si je comprends bien ce qui suit, il n'est pas non plus très assuré d'être accepté par les quelques bus qui circulent encore et pourraient le rapprocher de Fairfield Park. C'est donc moi qui le conduirai en voiture et le déposerai dans une rue en impasse où il exige que j'entre pour le laisser devant sa porte. Au retour, égaré dans ce quartier désert à peine éclairé par les rais de lumière qui filtrent depuis les fenêtres calfeutrées, je commence par me perdre avant de retrouver le canal. En longeant sa rive, je sais comment regagner Merrion Square et, avec un certain soulagement, St Stephen's Green.

Dans ma chambre, rideaux tirés, j'ouvre la fenêtre : le quartier psychédélique de Temple Bar teinte de rose et de jaune le ciel brouillé, le reste de Dublin est extraordinairement calme. La ville s'abandonne à la nuit, lovée sur elle-même, ni hostile ni amie, mais autre avec ses noirs mystères, ses souvenirs en ruine et, peut-être, ce réflexe de culpabilité qui la poursuit depuis qu'elle a recouvré la liberté après avoir été si cruelle avec ses écrivains, ses artistes et ses héros. Shaw et Joyce sont partis. Wilde et Beckett ont trouvé la paix à Paris, Yeats à Roquebrune. Tout ce qui a compté, tout ce qui compte encore aujourd'hui se fait sacrer à Londres, à New York, en France. L'homme que je viens de quitter devant sa maison de Fairfield Park, à Rathgar, tient fièrement tête aux coteries, aux jalousies et en paye le prix. C'est *Braveheart* aux confins des pays celtes.

Nous étions destinés à nous revoir, bien entendu, et même à nouer une amitié, épisodique mais réelle, coupée de brèves crises, parfois d'un silence à la suite d'un mot malheureux ou, tout simplement, parce que sa visite à Tynagh aurait troublé une période de travail pendant laquelle je me barricade égoïstement.

Dans notre retraite du « far west » irlandais, sa venue laisse toujours des sentiments mitigés. Qui ne serait pas sensible à ses exigences morales, à sa percutante intelligence et à sa riche mémoire poétique ? Il arrive en citadin, élégant à sa manière, c'est-à-dire un panachage de dandy et de clochard — moitié en loques, moitié chic —, le large feutre noir incliné sur l'oreille, l'écharpe en cachemire pourpre masquant en partie le col d'un manteau noir qui a beaucoup servi et que ferment des boutons de fortune, un panachage que je le crois incapable de cultiver pour se composer un personnage. N'en est-il pas un déjà ? Non, je vois plutôt un dédain aristocratique pour les ingrates corvées de la vie quotidienne qui le laissent de marbre.

Pour les corvées, le bonheur des esclaves — bonheur auquel il faut toujours penser — n'est-il pas de préparer des repas, retaper les lits, balayer, ranger sa table de travail (si possible) et consacrer, même sacrifier leur vie au bien-être du Prince ? Puisqu'il est souvent là où on ne l'attend pas, on s'étonne d'entendre Ulick parler de son père comme de Daddy et de sa mère comme de Mammy, ou réciter le beau poème sur la Nanny qui l'a élevé à partir de l'âge de cinq ans. Bien plus tard, il se souvient, alors qu'elle avait quatre-vingt-dix ans, de l'avoir emmenée revisiter l'église où, enfant, elle l'entraînait :

> *On your way out*
> *I glanced at the organ loft*
> *Where Joyce's father met his wife*
> *And thought of that devious poet,*
>
> *But was careful not to mention it,*
> *Even in a passing phrase,*
> *For I knew you thought him responsible*
> *For most of my awkward ways*.*

* Quand nous nous dirigions vers la sortie / Je jetais un coup d'œil à la tribune de l'orgue / Où le père de Joyce a rencontré sa femme / Et je pensais à ce tortueux poète, / Mais je prenais soin de le taire, / Même au hasard d'une phrase, / Tant je savais que vous le teniez pour responsable / De mes plus étranges manières d'être.

Au début de nos rencontres, il me faisait irrésistiblement penser aux *Célibataires* de Montherlant mais, alors que ces déclassés traînent une misérable existence sans issue, Ulick reste le paladin d'une cause qui, avec l'usure du temps, a perdu de son intégrité et se laisse déborder par la violence et le crime toujours prompts à utiliser le débat politique pour étendre sur la société de l'Ulster, et même sur la République, des réseaux mafieux.

Voilà, d'ailleurs, une question trop délicate à aborder avec lui et je me garde de lui en parler. Sur ce sujet, nous sépare un no man's land où, par suite d'une fatalité intrinsèquement irlandaise, ce serait folie de s'aventurer quand on est, de surcroît, un étranger en résidence, si longue que soit déjà cette résidence. Ulick me rappelle toujours la remarque d'un de ses confrères : « Quand à deux écrivains français se joint un troisième écrivain, ils forment aussitôt une académie ou fondent une revue littéraire ; quand à deux écrivains irlandais se joint un troisième écrivain, c'est le début d'une guerre civile ! »

Si étrange que cela paraisse à beaucoup, ça n'a pas été la guerre civile entre nous. Il nous est même arrivé de travailler de concert sans jamais un mouvement d'humeur de sa part. Sur sa propre œuvre, Ulick est d'une belle humilité. Plusieurs après-midi de suite, à Tynagh, nous relirons ensemble les épreuves de son journal : *A Cavalier Irishman* (de 1970 à 1981), témoignage exceptionnel sur une époque trouble et le monde qu'il a fréquenté à New York, Londres et Dublin. Dans ces pages, on retrouve sa parole brève, l'acuité de son regard, une vision sarcastique des prétentions de ses contemporains ou, au contraire, une vision généreuse de ceux que la société irlandaise a cruellement écartés. Ce livre — intraduisible, comme le journal d'Evelyn Waugh (de 1911 à 1966) — est aussi un répertoire de l'humour irlandais. D'une nuit galante, il se tire en citant un chirurgien interrogé par le juge des divorces : « Avez-vous dormi avec cette dame ? — Même pas le temps d'un clin d'œil, Votre Honneur ! »

Dans ce genre d'ambiguïté, l'esprit irlandais est imbattable. En me demandant de l'aider à réviser les épreuves de son journal, Ulick me surprenait. À ce qu'il racontait, je me sentais, la plupart du temps, étranger. Les trois quarts des noms cités m'étaient inconnus et resteraient probablement ignorés du commun des lecteurs. C'était un journal en circuit fermé, avec ses complicités et ses faiblesses, le télégraphique récit d'une vie en apparence chaotique, en réalité menée avec une rigueur parfois féroce et un sens inspiré de sa propre mission dont rien ne la détournerait. Avait-il raison de me prendre pour dernier juge d'une publication qui plairait à bien peu ? Ou alors a-t-il pensé qu'un regard distancié sur des événements récents ou des personnalités éphémères filtrerait ce que ses récits gardaient de trop temporel ?

D'autres collaborations, je retiens encore deux épisodes : une préface à sa traduction des pièces condamnées de Baudelaire. La parution donna lieu à une jolie fête offerte par l'Institut français à Dublin, présidée par Michael Higgins, alors brièvement ministre de la Culture et, j'espère pour plus longtemps, poète du Galway à la belle crinière blanche. Nous devions lire, Ulick ses traductions de Baudelaire, moi leur version originale. Aux jeunes personnes qui n'avaient pas encore connu l'homme — s'il y en avait ! — je demandai de sortir avant de réciter les vers du *Léthé*. Il n'y eut pas un mouvement vers la porte. Higgins mima admirablement l'ivresse poétique. Pendant le dîner intime qui suivit (sans le poète-ministre, je précise), Ulick imita à la perfection sa voix et son staccato. Le discours alambiqué de

Higgins me laissait douter de son intimité avec Baudelaire.

Je n'oublie pas non plus l'excitation de Ulick lorsque, à l'occasion du Festival de théâtre à Dublin, on donna une pièce de moi, *Ariane* dans la version anglaise de Fanny de Burgh-Whyte. Au cours des répétitions, il en fit sa chose, dirigea le metteur en scène et les comédiens, envahit le plateau, modifia costumes et lumières, pour le bonheur de la représentation, je dois dire. Son explosive personnalité disparaissait derrière l'homme de théâtre et le comédien puisqu'il est aussi comédien, ce que je n'ai pas encore vraiment signalé. Et pas n'importe quel comédien, mais, sur scène ou à l'écran de télévision et, notamment, dans *Une offrande de cygnes,* un homme d'une grâce et d'une poésie qui font oublier à l'instant l'irascible spadassin des réunions littéraires dublinoises. Non seulement ses explications de texte aux acteurs furent des modèles d'intelligence, mais, de sa chaise, il interpréta lui-même tous les rôles avec une si vive persuasion que les jeunes comédiens n'eurent pratiquement plus qu'à l'imiter.

Le théâtre nous réunit encore une autre fois, fort curieusement dans le Lot-et-Garonne, pour une série de représentations de sa pièce *Execu-*

tion que ma fille, Alice, venait de traduire en français.

Execution traite d'un des épisodes les plus dramatiques de l'histoire de l'Irlande moderne : un affrontement mortel entre les combattants de la libération de l'Irlande après le départ des Britanniques et la constitution d'un gouvernement républicain. Dire que c'est une pièce originale ne serait pas entièrement exact. Ulick ne s'est pas caché d'avoir utilisé respectueusement, avec sa grande connaissance de la scène, les plaidoiries et l'acte d'accusation, les dépositions des gardiens de la prison et les souvenirs laissés par les avocats et les témoins. Le résultat donnait froid dans le dos et soulevait une vague de pitié qui tétanisait le public quand nous l'avions vu au Peacock Theatre à Dublin. Aucune salle de Paris ne s'y étant intéressée, la troupe des Baladins en Agenais avait pris le risque.

Ulick était venu sur place, logeant dans un hôtel de campagne du Lot-et-Garonne. Le matin, des hauteurs de Monclar, je l'apercevais quittant son hôtel à pied et nous rejoignant par la route en lacet qui trace un sillon dans les champs de maïs, marchant d'un pas égal jusqu'au village, trahi par son élégant panama.

Il s'installait à l'intérieur du Baladin, le seul café-bistrot de Monclar tenu par cette admirable femme, Huguette Pommier, dont l'intelligence et l'autorité feraient, pour un temps, de son village un centre d'attraction inoublié. À peine assis, Ulick s'étonnait de ne pas y voir déjà les comédiens censés répéter dans une salle de poche voisine. Malgré des efforts de la plus grande politesse, on ne parvenait pas à lui faire comprendre que les treize acteurs d'*Execution* répétaient aussi — et même toute la nuit, en secret — une douzaine d'autres pièces et qu'il était parfois difficile de les réveiller avant midi. Assis près de la porte, devant un verre d'eau et un café, en blazer (même fatigué on voyait bien qu'il s'agissait d'un blazer), cravaté comme toujours avec fantaisie, le panama posé sur la table, Ulick voyait se pointer un par un les habitués. Il faut dire que Monclar abrite une sorte d'hospice comme on en voit de moins en moins, dernier vestige des bontés avaricieuses de la IIIᵉ République, un refuge de pensionnaires esseulés pas toujours très assurés dans leurs pompes. Dans la journée, ils sont autorisés à sortir — du moins ceux qui ne se perdent pas dans la seule rue principale — et comme, à part l'admirable paysage qui ceinture le piton sur lequel est planté le village, il n'y a pas d'autres distractions, ils s'accrochent (ou s'accrochaient !) au bar pour le premier verre de la journée. Pendant la première heure, Ulick restait seul parmi eux, évidemment incapable de comprendre ce qui se jargonnait autour de lui, persuadé d'ailleurs qu'il s'agissait de propos aimables auxquels il répondait par quelques mots d'anglais qui faisaient hocher les têtes, souriant quand on lui tendait une patte graisseuse, refusant les ballons de blanc sec ou une goutte dans son café. Longtemps, je me suis demandé ce que les fidèles du Baladin pensaient de lui. En réalité, à part deux ou trois, ils ne pensaient probablement rien et un extraterrestre comme on en voit dans les bandes dessinées avec des têtes pédonculées, des mains à six doigts et des voix mécaniques, un extraterrestre leur aurait paru moins étrange que ce poète égaré dans leur village pour des raisons dont, malgré la publicité qui entourait la Nuit du Théâtre, ils n'entrevoyaient pas bien les fins.

À la sortie en librairie de *A Cavalier Irishman* (à Londres avant l'Irlande), Ulick fut interviewé par Vincent Browne pour l'*Irish Times* : Browne et Ulick entretiennent depuis plus de trente ans une mutuelle détestation ponctuée de coups de poing et même — ô drame typiquement ulickien — Browne est accusé par son adversaire d'avoir un jour cassé une vitre de sa porte d'entrée et Ulick est accusé par Browne d'avoir, en public, dans un restaurant, insulté l'épouse d'un juge, son ami. Dans l'interview dont on reconnaîtra que, malgré l'antipathie foncière qui règne entre les deux hommes, il reste équitable, Browne avoue être arrivé à Fairfield Park avec l'intention de commencer d'emblée par cette charmante apostrophe :

— Comment se fait-il que vous soyez invité à déjeuner ou dîner si souvent par des hôtes civilisés étant donné que vous êtes un insupportable et infatigable fanfaron ?

Que se serait-il passé s'il avait osé cette attaque au premier coup de gong ? Parfois, les dieux font bien les choses : Ulick était d'une humeur de rêve. D'entrée, il désarma son interviewer. Son livre avait déjà été accueilli par de bons articles dans la presse anglaise et américaine. Si les critiques irlandais ne suivaient pas, ça n'avait plus aucune importance, le temps serait juge. Une large photo occupe la page de l'*Irish Times* du 8 septembre 2001 que j'ai gardé : on y voit Ulick à sa table de travail, le dos tourné à une vitrine remplie de livres reliés, surveillé par une tête en bronze montée sur une stèle.

111

Il est en robe de chambre, décochant au photo-graphe un sourire qui mime la bienveillance et l'amusement. Le col de la chemise est largement ouvert. Il croise les bras et pose un coude sur la table. Près du coude droit, on lit (avec une loupe) le titre d'un livre qui a encore sa jaquette : *Ulster 1969*, mais l'attention est surtout attirée par un autre qu'il tient dans sa main droite légèrement pendante, plutôt une plaquette qu'un livre, au titre, en revanche, très voyant : *Orangeism*. Dans cette photo (pas tout à fait naturelle, il est vrai) deux titres rappellent ainsi au lecteur que l'homme qui parle ici est la mémoire toujours sur la défensive d'une révolution, même si, tel Cato-blépas, elle se dévore elle-même. Mieux encore, ce mince opuscule présente sa tranche au photo-graphe et, sur cette tranche, court, ou semble courir, une flamme apparemment allumée par la pression des doigts de Ulick. Interrogé au télé-phone, Ulick est ferme :

— Je n'ai jamais brûlé un livre et n'en brûlerai jamais.

Et comme j'insiste :

— Il faut que je retrouve la photo.

J'attends encore, mais, qu'à la suite d'une conver-sation dangereuse dynamitée par leurs conflits passés entre le collaborateur de l'*Irish Times* et le volatil Ulick un livre traitant du cancer qui dévore l'Ulster depuis quatre-vingts ans ait pris feu dans la main de Ulick ne me paraît pas impossible du tout.

Même privé de ses droits essentiels, dépossédé de ses terres et de ses maisons que les constables au service de l'occupant ont réduites à des tas de pierres et de chaumes pourris, un peuple a encore la parole pour défier son oppresseur et, si on le bâillonne, il conserve le remède à toute misère : la parole intérieure qui permet d'être soi-même et tous les autres, les héros chéris de la mémoire, les pauvres et les riches, les vainqueurs et les vaincus, l'amant heureux ou abandonné.

Certes, ils disparaissent un à un ces errants qui dévidaient leur monologue le long des grand-routes. Sur ces âmes libres, la société secourable exerce ses contraintes, enferme dans ses œuvres caritatives les derniers rebelles, mais je n'oublie pas, lors de mon premier voyage, la grande Sarah, cette femme en vaste jupe et caraco noirs, un châle multicolore sur les épaules, chaussée d'énormes brodequins, une longue natte grise tressée rabattue sur sa poitrine. Depuis des siècles, elle marchait sur les routes du Donegal, du Mayo, du Connemara, mimant à grands gestes une conversation imaginaire avec ses disparus, balançant au bout du bras un baluchon rempli de quelques hardes, de canettes de bière et de pommes de terre cuites dans la cendre, sa seule nourriture.

Elle avait ses étapes d'un parcours que, les deux fois où je l'ai rencontrée, elle semblait incapable de préciser mais qui, par une sorte d'instinct animal, ne variait pas d'un pouce, un circuit fermé avec ses arrêts obligés, un parcours entrepris le jour où le dernier de ses six enfants était mort. Dans les villages, elle se reposait chez l'épicier-mercier-postier au milieu de ces insensés bric-à-brac qui disparaissent chaque année pour laisser place à des magasins anonymes. Là, on montrait du cœur, on lui avançait une chaise, elle s'asseyait, épuisée de fatigue, bien appuyée contre le dossier et détendait ses grandes jambes. La jupe aux nombreuses poches secrètes remontait assez pour découvrir, au-dessus des chaussures jusqu'au mollet, des chairs violacées tachées de croûtes. Je revois encore le nez droit de statue grecque planté dans le noble visage de momie inca, le front, les joues striées de rides convergeant vers les lèvres qu'elle avait encore belles malgré l'absence de dents. On lui renouvelait discrètement sa provision de canettes et de patates sans qu'elle interrompît son discours commencé le jour où elle avait quitté la maison pour marcher, simplement marcher en se parlant à voix haute, questionnant et fournissant les réponses d'interlocuteurs invisibles sans changer de ton :

« J'ai dit :

— Reste !

Elle a dit :

— Non, je pars avec lui.

J'ai dit :

— Il te rendra malheureuse.

Elle a dit :

— Moi, malheureuse avec lui ?

J'ai dit :

— Oui, avec lui, malheureuse !

Elle a dit :

— Mère, j'aurai des enfants à moi.

Son frère a dit :

— Il te fera pas d'enfants, il sait pas b...

J'ai dit :

— Qu'est-ce que t'en sais ? T'es pas sa femme.

Elle a dit :

— Ma mère, je m'en vais.

J'ai dit :

— Il boit.

Elle a dit :

— Je l'empêcherai.

J'ai dit :

— Tu empêcheras aussi la Terre de tourner ? Et moi, là-dedans ? Tous les deux vous dites des cochonneries. Votre père, il est chez le Père à nous tous et il vous attend.

Elle a dit :

— C'est Tim qu'a parlé de b... »

En fin d'après-midi, on la retrouvait sur l'étroite route de Maam Bridge à Leenane, raide et fière dans le crachin, marchant d'un pas rare chez les femmes : entêté, régulier à larges enjambées, en fait un pas de fantassin. D'une main, elle retenait sur son épaule le baluchon qui tanguait dans son dos. Avec son châle rabattu sur la tête et maintenu sous le menton par une grossière agrafe, quelques mèches grises dépassant à peine sur le front, elle était vraiment d'une sauvage beauté, l'esprit régnant des tourbières, des eaux noires et des monts perdus dans la brume.

Arrêté à sa hauteur, j'ai baissé la vitre. Son

visage irradiait la bonté, la générosité, le rêve. Non… elle ne voulait pas monter, elle avait le temps pour elle, ce temps dont Dieu nous a octroyé de si larges provisions… Lâche soulagement de ma part. Comment chasser de la voiture son odeur fauve qui resterait longtemps après elle ? Et, tout de suite, elle dans le crachin glacé, moi ignoblement à l'abri, pressé de remonter la vitre par laquelle s'engouffrait une nappe de froid humide, elle reprenait le monologue :

« Je leur ai pourtant dit :

— Sortez pas, la mer est grosse.

Lui :

— Mère, c'est pour le poisson.

J'ai dit :

— Le poisson c'est tous les autres jours.

Lui :

— T'en manges jamais.

J'ai dit :

— Ta vie vaut plus qu'un hareng.

Il a dit :

— C'est pas sûr, mais c'est comme ça ! J'ai trois enfants. Qui nous donnera le manger si j'y vais pas ?

J'ai dit :

— Le Bon Dieu.

Lui :

— Alors on peut attendre... j'y vais.

J'ai dit :

— Adieu, mon garçon que j'aime...»

De grosses larmes ont dévalé ses joues. Elle a remonté le baluchon sur son épaule et repris la route. À travers le pare-brise brouillé, je l'ai vue s'éloigner de ce pas magnifique qui l'entraînait autour du monde... enfin... de son monde à elle, une parcelle de terre noire semée de lacs de bronze, de routes bordées de fuchsias ou de rhododendrons, sous laquelle dormaient ses six enfants et un homme invisible. C'était une reine du temps des Gaëls, la dernière, hélas dépouillée de son bouclier d'or, de son casque de cuir, de sa lance et de son épée. Un jour, elle a dû se coucher au bord du Lough Mask et lentement s'enfoncer dans la terre spongieuse d'où jaillissent des bulles irisées, les esprits de la tourbe qui font fête aux corps épuisés de chagrin et aux âmes immortelles.

Tous ne sont pas aussi sauvages. J'ai bon souvenir d'un gaillard pris en stop un matin à la sortie d'Athlone, tête nue, le visage couperosé certainement plus par la bière que par le froid, boudiné dans un pardessus noir de ville fermé avec des épingles à nourrice.

— Je peux te déposer à Loughrea.

— Loughrea, ça me convient. Au foyer, ils me donneront encore un petit déjeuner. J'en ai déjà eu un, mais deux c'est mieux et à Loughrea on peut coucher une nuit, repartir le lendemain, le ventre plein. J'ai entendu : tu as l'accent allemand.

— Non, français.

— C'est le même que l'allemand.

— Je ne crois pas. Tu as des amis à Loughrea ?

L'idée le fait éclater de rire.

— Qu'est-ce que ça a de si drôle ?

— Je suis marin. J'ai pas d'amis.

— Et alors qu'est-ce que tu fais ?

— Je marche.

— Ça va durer longtemps ?

Il hausse une épaule après l'autre à chacune de mes questions, mais plus comme un tic que pour se débarrasser de ma curiosité.

— Qu'est-ce que j'en saurais ? Un an, deux ans peut-être. Ou plus. J'ai envie de marcher. Quand je m'arrêterai à Cork ou à Dublin, je trouverai bien un embarquement. Je suis déjà allé en Chine, en Afrique…

121

Je connais cette litanie, toujours la même. Souvent ils n'ont pas mis pied à terre ou bien, s'ils ont tiré une bordée, ils se sont saoulés et ne se souviennent que des noms des escales. Cela dit, le cas était rare : un marin à pied, c'est presque aussi peu commun qu'un marin à cheval. La voiture est chauffée. Pas habitué, mal à l'aise, il commence à s'éponger le front et cherche à ouvrir son manteau mais les épingles rouillées sautent une à une.

— Tu dors avec ?

Il a ri de nouveau, demandé une cigarette.

— Dans les foyers, il n'y a qu'une couverture par lit. Et puis hier soir j'étais un peu bourré. Tu ne marches pas toi ?

— Si, si, je marche, mais pour de longs trajets je préfère la voiture. Qu'est-ce que tu te racontes en marchant ?

— Je pense. Je pense aux choix de la vie. On pense mieux en marchant.

Je ne vais tout de même pas lui parler des péripatéticiens, de Goethe avec Eckermann. Peu avant Ballinasloe, une petite voiture arrive à toute allure tenant le milieu de la route. Je dois serrer à gauche, pratiquement mettre deux roues dans le fossé. Dans ce bolide tout neuf, il y a quatre bonnes sœurs. Celle qui conduit, crispée au volant, penche le buste en avant. J'ai dit :

— Les bonnes sœurs conduisent vite cette année.

— Les bonnes sœurs irlandaises sont les plus rapides du monde. Et tu verras... qu'est-ce que ça va être l'année prochaine quand elles auront des permis de conduire...

Nous pourrions nous amuser plus longtemps encore si, traversant Ballinasloe, il ne passait plusieurs fois sa langue sur ses lèvres.

— Il y a un petit pub sympathique ici, chez Joe. Il fait tellement chaud dans ta voiture... On crève de soif.

— Des pintes de stout, le matin à onze heures ? Non, merci. Ni à aucune heure d'ailleurs.

— L'embêtant si je bois seul, c'est que je suis fauché.

À un tel aveu, on ne saurait rester insensible. Je mets deux livres — pardon, deux *punts* — dans sa paume.

— C'est pas ce que je voulais dire.

— Tu les aurais eues même si tu n'avais pas demandé.

— Alors, je suis un sacré con !

Descendu de la voiture, il relève le col de son manteau et se dirige à grands pas vers le pub de

Joe Goran. Avant de pousser la porte, il marque un temps d'arrêt pour saluer de deux doigts en V.

Jamais revu, mais je n'entends pas un enregistrement de la ballade « *Come ye tramps and hawkers* » chantée par les Dubliners sans penser à lui :

Oftimes I've laughed unto mysel when trudgin' on the road
My toerags round my blistered feet, my face as broon as a toad...
And if the weather treats me right, I'm happy every day.

À K., tout près de chez nous, vivent les Barnett. Si on en croit la rumeur souterraine, ils viennent d'ailleurs... c'est-à-dire de la route. Un jour, un garçon quitte la roulotte familiale tirée par un poney pie, s'engage, loin des siens, dans une ferme, travaille dur, achète un cheval étique, le soigne et le revend trois fois son prix. C'est l'arrière-grand-père, au début du XXe siècle. Ses ruses lui ont permis d'acheter de petites terres ici et là, de se marier avec une « sédentaire », d'avoir un enfant, par malchance un seul, celui que j'ai connu : Ciaron qui aura, lui, sept enfants et, peut-être, une trentaine de petits-enfants. Tout ça s'est agrandi, a bâti des maisons, acheté des bois et des prés, et puis Ciaron, devenu le patriarche, a eu une attaque. Comme il est taillé en hercule, il s'en est sorti, traînant une jambe, une main tremblante enfouie dans la poche, mais entre-temps, l'aîné a pris les choses en main : chevaux, vaches, moutons. Ciaron l'a regardé sans rien dire. Toutes les heures, il faut lui servir un thé. Il a recouvré la parole et maigri. Ses yeux chafouins ne quittent plus les allées et venues de sa femme et du fils. Le vieux gène des nomades s'est réveillé dans son sang, il a des fourmis dans la jambe qui trotte toujours bien, l'autre suit cahin-caha. Mrs. Barnett le sait et ferme les portes, garde les clés dans la poche de son tablier. Ce n'est pas un homme que l'on boucle facilement. Malgré son handicap, il profite de la moindre inattention de sa femme, de ses petits-enfants qui entrent ou sortent à tout bout de champ. On le récupère sur la route et il rentre, épanoui comme après une bonne farce. Pas mis au courant, je l'embarque un matin à la sortie du village où il me fait signe en levant sa canne.

— Sir, où allez-vous ?

— À Galway.

125

— Ça tombe bien. Moi aussi.

Il est de la vieille école et dit encore « sir ». Il en rajoute même dans les formalités depuis longtemps disparues à la campagne. Je le laisse sur Eyre Square et propose de le ramener dans une heure à K. Inutile : des amis l'attendent et s'en chargeront. Le soir la matriarche me téléphone :

— Je sais que vous l'avez emmené à Galway.

— Il y allait.

— Ciaron ment comme il respire.

Trois jours après, il est revenu en stop, hilare, ravi de son escapade, inchangé sauf sa gabardine oubliée on ne sait où, mais toujours coiffé de sa casquette et chaussé de bottes en caoutchouc — ici, on dit des wellingtons. En chemin, il a acheté un cheval et un veau, laissant une provision que j'appellerais d'honneur : cinquante pence pour chacun. La somme est à compléter quand son aîné ira les chercher avec sa bétaillère. Où a-t-il bu, mangé, dormi, fait un semblant de toilette ? Personne ne le saura jamais. Mrs. Barnett ne me parle plus. Il est vrai que c'est toujours ça de gagné.

À Killinadeema, une route longe la crête d'où l'on a une admirable vue sur le Lough Rea et la plaine. La chaussée est si étroite qu'on peut seulement rouler à vingt à l'heure et je lâche les chiens avant d'arriver à la forêt. C'est la séance de mise en train. Ils adorent ça et galopent comme des fous. Quand on rencontre une autre voiture — ce qui est rare —, il faut exécuter une marche arrière ou se garer devant le renfoncement d'une grille. Sur la colline, les tombes d'un cimetière de charme surveillent le lac et les champs dont aucun vert n'a la même brillance. Chaque fois que je passe par là, je croise un grand homme mince, au buste bien droit, coiffé d'un chapeau rond en tweed, flottant dans un ciré jaune canari. Il marche à bons pas, les mains dans les poches, du matin au soir, allant venant de la route de Gort à Aille Cross. Quand les chiens le dépassent et qu'approche la voiture, sans se retourner, il lève la main gauche, index pointé vers le ciel. À Naples, ce serait injurieux, ici c'est un signe amical. Un jour, il faudra étudier sérieusement ces signes nationaux échangés par la confrérie des promeneurs, jamais les mêmes et parfois très contradictoires. Si nous nous croisons, il porte un doigt à son chapeau et je réponds par un coup d'avertisseur. En interrogeant un peu, j'ai appris son nom : Liam. À l'heure de la retraite, il est venu de Galway vivre chez sa fille qui est infirmière à l'hôpital régional.

Un matin, les chiens à la poursuite d'un lièvre ont disparu et j'arrête pour les attendre. Liam est à ma hauteur et dit :

— Quel âge avez-vous ?

D'un seul coup, il a sauté par-dessus les premiers mots qui débutent les conversations ordinaires, ces conversations sempiternelles sur la pluie, le vent, le beau temps également détestables, et qui m'exaspèrent vite. J'avoue mon âge.

— J'ai neuf ans de plus que vous et je suis en bonne santé. Croyez-moi, leurs médicaments, c'est de la foutaise. Marchez deux heures le matin et deux heures l'après-midi et vous vivrez cent ans.

Dans son visage lisse à la peau marbrée, les yeux bleus sont voilés par un début de cataracte. La bouche n'a pas de lèvres et de grands poils noirs sortent de ses narines et de ses oreilles.

— La santé, dit-il les yeux baissés, c'est mieux que l'argent. Oui, c'est sûr, beaucoup mieux que l'argent. En 1938, je suis allé à Dublin pour la première fois. Un match de football : Dublin contre Galway. En descendant du train, j'ai demandé le chemin. L'employé, un gros avec un bras en moins et un œillet rouge à la boutonnière, m'a regardé comme si j'étais un étranger. Quand il est revenu de sa surprise, il a dit : « Suivez la foule, elle va droit à Landsdowne Road. Pouvez pas vous tromper. » J'ai vu le match et Galway a gagné.

Il se courbe, ramasse quelques cailloux et les dispose pour m'expliquer le coup qui a donné la victoire à Galway. La démonstration est pas mal confuse et je dois feindre de la suivre avec intérêt, bien que je ne sache pas s'il s'agit de football anglais ou de football gaélique, un mélange de rugby et de ballon rond. D'un revers de pied, il balaye les cailloux :

— On ne joue plus comme ça aujourd'hui. Les jeunes ont trop d'argent. Ils vont au pub, regardent la vidéo et ont tous des voitures et des motos. Ils ne marchent plus. L'important, c'est la santé. L'argent ne compte pas.

Il porte un doigt à sa casquette et reprend la route. Un instant après, les chiens m'ayant rejoint, je le dépasse sur la route. Sans qu'il daigne détourner la tête, j'ai droit au petit signe napolitain.

Il faisait beau, ce qui ne veut pas dire que nous étions en été, ce pouvait aussi bien être en hiver

129

ou dans les saisons intermédiaires, enfin l'essentiel était qu'il fît beau. Nous avions déjeuné dehors, sur la pelouse devant la maison, et j'étais resté seul à lire à côté de mon café refroidi et d'un chien qui dormait en ronflant à l'ombre d'un parasol. Il est toujours difficile de lire en plein air : un oiseau passe en flèche dans le ciel, des abeilles bourdonnent dans les massifs de fuchsias. J'ai oublié ce que je lisais. Ça ne devait pas être passionnant, je levais souvent les yeux ou bien j'avais envie de bouger pour un rien, pour ces petites choses dont on se dit que si on ne les fait pas tout de suite, on les oubliera.

Il descendait l'allée de fuchsias, deux haies flamboyantes qui tremblent au moindre souffle. Donc ce devait bien être en été, même probablement en août, les fuchsias ne fleurissant qu'assez tard. La tête qui dépassait cette coulée de fleurs rouges ne me disait rien, ni l'homme tout entier d'ailleurs quand il apparut à la fin de l'allée et traversa la pelouse dans ma direction, frêle personnage d'une quarantaine d'années au plus, en costume bleu rayé, pantalon à pattes d'éléphant, chemise blanche et cravate fluorescente particulièrement déplacés en pleine campagne par ce temps radieux. Le plus étrange encore était sa tête, un faciès jaunâtre et des cheveux — une masse serrée de mèches en vrille d'un noir bleu — vraiment très frisés et dressés des deux côtés d'une raie. Il aurait prêté à sourire si on oubliait le regard sombre et inquisiteur d'une fixité que je me souvenais d'avoir rencontrée chez un psychanalyste venu me parler de Dalí, le docteur Roumerguere, dont j'avais eu le plus grand mal à me débarrasser sans appeler les pompiers. Mais ce visiteur était plutôt timide d'apparence et si la résolution de sa visite avait, sans doute, été longuement mûrie, le fait de se trouver en face de moi devait le troubler au point qu'il restait muet, les bras ballants, se mordant les lèvres, comiquement déplacé dans ce bout de jardin, un après-midi ensoleillé, lui en costume de ville comme je n'en vois un qu'à notre notaire dans toute la région, moi en bras de chemise, un livre posé sur mes genoux. J'ai fini par dire :

— Je suppose que vous désirez voir ma femme. C'est elle qui s'occupe des chevaux, moi je n'y connais rien. Elle ne sera pas de retour avant six heures.

Un sourire charmant, presque enfantin, éclaira son visage, effaçant l'anxiété que j'avais cru y lire,

131

l'anxiété ou, plutôt, l'étonnement de se trouver là, brusquement, au sortir d'un rêve.

Ce fut comme si tout d'un coup j'avais donné un tour de clé à un automate : les mains se joignirent pour une humble prière et une moue suppliante anima le visage si triste.

— Oh, non ! Je ne viens pas parler de chevaux, je suis poète. Je vais écrire des poèmes et comme vous êtes un écrivain très connu, j'aimerais que vous m'aidiez à les publier. C'est d'une grande importance.

Voilà qui devenait intéressant. Il s'est assis sur le bord d'un fauteuil de jardin. Ses genoux osseux pointaient sous le pantalon bien repassé. Aucune alliance cependant à sa main gauche. On l'imaginait en garçon d'honneur, un œillet blanc à la boutonnière, faisant banquette pendant que de plus audacieux invitaient à danser les amies de la mariée. Il m'écoutait avec sérieux bien que peu convaincu de mes arguments terre à terre : les éditeurs ne se précipitent pas sur les recueils de poèmes, j'étais un écrivain français publié surtout en France et, même si j'avais eu la moindre influence sur un éditeur de langue anglaise, il me semblait d'abord nécessaire qu'il écrivît les poèmes...

Oh, certes... il avait déjà quelques brouillons, enfin rien de montrable et ce qu'il souhaitait avant de s'y mettre réellement, c'était la certitude d'être publié. Très déçu que je ne puisse lui offrir cette certitude, là sur la pelouse, devant la maison, par un bel après-midi d'été comme on en voit peu, il accusa les éditeurs qui ne pensaient qu'au profit, jamais à l'art. Je pus enfin lui demander ce qu'il lisait. Yeats, me dit-il. Il n'avait pas encore eu le temps d'en lire beaucoup d'autres.

La conversation s'éternisait en lieux communs et quand, pour la ranimer, il m'apprit qu'il faisait beau et chaud, qu'on ne prévoyait ni pluie ni vent le soir, je lui avouai mon désir de travailler et espérais que nous nous reverrions lorsqu'il serait enfin satisfait de ses essais poétiques. Pour m'en débarrasser, je proposai de le raccompagner à la grille où il avait laissé sa voiture, sa moto ou sa bicyclette ?

— Je me déplace toujours à pied, dit-il. J'habite près d'Abbey. Ce n'est pas loin d'ici, ça n'est même loin de rien.

Dix kilomètres pour Tynagh où nous étions à cette minute-là, dix pour Portumna, vingt pour Loughrea. Tous les après-midi, il allait à l'un ou à l'autre et revenait chez lui en fin de journée. Je demande que l'on calcule l'aller et retour chaque jour à la même heure pendant trois cent soixante-cinq jours par an.

— En cinq ans, vous faites le tour de la terre à ce rythme.

— Ce serait intéressant, j'aimerais voir du pays, mais pendant ce temps-là, tout se recouvre de poussière.

Il avait un pub préféré dans les deux villes et, occasionnellement, dans notre village. Il buvait peu. Quand il buvait trop, il ne pouvait plus penser à ses poèmes. Tout ce trajet, c'était donc pour une pinte, après quoi il rentrait chez lui. La question indiscrète me tenaillait : de quoi vit-on quand on ne fait rien ?

— J'ai laissé la ferme à mon frère. Il m'a donné un cottage pour que j'écrive mes poèmes. C'est un homme très bon. J'espère qu'il ne se mariera pas. Je ne m'entendrai sûrement pas avec sa femme. Je les connais, elles veulent toujours qu'on leur parle.

N'envisageait-il tout de même pas de s'acheter une bicyclette ?

— Sûrement pas. Ce serait la fin de mon inspiration. Il faudrait appuyer sur les pédales, faire attention aux voitures tandis qu'à pied, c'est automatique : il n'y a plus à s'occuper de rien. La tête fait tout le travail. Si je compte bien, mes poèmes feront plusieurs volumes, peut-être trois ou quatre. J'exagère sans doute parce que, souvent, je ne me souviens plus de ce qui m'est passé par la tête, qui était très beau. La poésie, c'est comme les songes. Enfin, je suis très content de vous avoir rencontré. Nous ferons du bon travail ensemble quand vous voudrez.

Dans les années qui ont suivi, je l'ai revu deux ou trois fois sur la route, allant ou revenant de son pub. Avec le temps, l'agressive chevelure frisée commence à grisonner et il est toujours aussi élégant, à sa manière, en costume de citadin à la campagne, plongé dans ses pensées. Il est inutile d'attendre de lui le petit signe napolitain. Il a peut-être fallu quinze ans pour que nous nous parlions de nouveau, à Portumna sur le trottoir face à la poste, lui en manteau en poil de chameau (ou façon poil de chameau), à la main un parapluie. Manquait juste un chapeau melon. J'étais le cul-terreux en ciré, casquette et bottes :

— Où en sont vos poèmes ? Je les attends.

— Ça vient, ça vient... Je rassemble des bouts et des morceaux (*bits and pieces*). Il faut que votre éditeur patiente.

Sur la route de Loughrea à Gort, l'embranchement pour Thoor Ballylee est si mal indiqué que je le manque deux fois bien que souvent venu seul ou avec des amis atteints de yeatsomania. L'étroit chemin serpente entre les champs que clôturent des alignements de pierres cyclopéennes avant de s'enfoncer dans une tranchée de haies. Le donjon apparaît par surprise au centre d'une clairière d'ormes et de chênes. À son pied, un pont enjambe une paresseuse rivière aux eaux cuivrées : peu après, la Cloon disparaît sous terre.

Dans ses murs de pierre taillée sans autre aspérité qu'une tête grimaçante grossièrement sculptée dans un moellon avancé, Thoor Ballylee a tout d'une prison. Des barreaux de fer barricadent les quelques fenêtres. Par les meurtrières sortent ou entrent des hirondelles. De l'extérieur, c'est d'une austérité suicidaire. Qu'est-ce qui a pu inciter

Yeats à s'installer dans cette tombe glaciale et pratiquement aveugle, lui qui, dans sa jeunesse, se disait « préraphaélite en tout » ?

Ce donjon ne vaudrait guère le détour si la gloire de Yeats ne l'avait ennobli et protégé du délabrement qui menace les derniers témoignages d'une féroce occupation étrangère. L'a-t-il vraiment habité ? On me souffle : « Assez peu ! » Enfin… par périodes, suffisamment pour que son nom y soit à jamais attaché. Il préférait souvent l'hospitalité de lady Gregory à Coole Park, quelques kilomètres à peine de Thoor Ballylee :

J'ai choisi cette tour pour une amie voisine
L'ai aménagée et fleurie pour l'amour d'une femme
Et je sais quand tout fleurit et meurt
Que ces pierres resteront mon œuvre et la leur.

Depuis le frénétique développement du tourisme culturel, l'entrée du donjon passe par un cottage à toit de chaume où l'on expose les inévitables horreurs du genre : écharpes vertes, casquettes vertes, écussons verts ornés du trèfle. Deux « dames » en strict tailleur noir (pas vert ! elles doivent en avoir la nausée !) vendent les tickets d'entrée. Bien que seul visiteur du matin, je ne parais pas trop les déranger. La moins âgée me guide vers une grande salle vide striée de bancs face à un écran, éteint la lumière et met en marche un projecteur. Ce n'est pas un film mais un montage de photos en sépia fort bien mises en scène : l'enfance, la jeunesse, l'âge mûr, les amis qui ont accompagné sa vie littéraire et contribué à la Renaissance celtique, les femmes de son cœur et de son esprit : lady Gregory, sosie de la reine Victoria ; Maud, « un être d'un autre monde », et Yseult Gonne, la mère et la fille plus belles que des fées ; la comtesse Markievicz en jeune fille éthérée, puis en révolutionnaire, le pistolet à la main ; sa femme, Georgie Hyde Lees, intimidante, en relation avec l'au-delà ; enfin lui, William Butler Yeats, dans cette photo si parfaite : en buste, le manteau beige droit ouvrant sur une chemise blanche un peu lâche pour son cou puissant ; coiffé d'un feutre clair à bord roulé très à la mode parmi les artistes des années vingt ; pas de lavallière, juste un nœud papillon clair. Il ne sourit pas, mais on devine son plaisir d'être saisi à cet instant de la journée : la bouche charnue entaille le bas du visage ; les yeux sont légèrement bridés derrière un lorgnon assuré avec négligence par un cordon noir relié au col de la chemise ; le nez droit dégage bien la lèvre supérieure très sensuelle. Dans son journal de 1930, il écrit : « Moi qui soigne toujours ma mise, qui ne suis jamais intempérant, qui ne reste jamais sans me raser… » et voilà qu'il se découvre tout autre dans le portrait qu'a fait de lui le peintre Augustus John : « Je me suis vu sous l'apparence d'un cabaretier ivre et mal rasé, et alors j'ai commencé à comprendre qu'Augustus avait découvert quelque chose qu'il aimait en moi, quelque chose de plus intime que la personnalité, et ce quelque chose de soudain visible, c'était la solitude que je me suis créée, solitude de hors-la-loi. » Qu'aurait-il pensé des admirables portraits posthumes que Louis Le Brocquy fit de lui : des masques mortuaires au bord de la liquéfaction, d'un silence terrible…

Les images de ce bref rappel d'une vie accompagnent ma visite, une anthologie à la main :

Un escalier en spirale, une voûte de pierre,
Un âtre ouvert au manteau de pierre grise,
Une chandelle, des mots sur une page,
C'est en des lieux semblables
Que peina le platonicien d'Il Penseroso

Dans un pressentiment
Du délire sacré
Où l'esprit imagina le monde.

Une salle au plafond boisé peint de bleu et de jaune occupe le premier étage. Dans une niche protégée par une vitre, un fauteuil en osier achève de tomber en poussière. Le conservateur de Thoor Ballylee n'est pas fétichiste : il a dédaigné d'assurer que le poète aimait ce siège. Une vitrine protège des éditions originales plutôt poussiéreuses ou tachées de mouillures. Les tréteaux et les planches qu'il évoque dans ses *Méditations du temps de la guerre civile* ont disparu. Pour l'imagination des visiteurs qui ne conçoivent les écrivains que devant un bureau, on a remplacé l'improvisation par une table de bois verni. Elle paraît malheureusement bien petite pour une si grande œuvre qui ambitionnait de réconcilier et d'unir les aspirations des mythes protestants et catholiques au sein d'une littérature nationale et, plus tard, européenne.

À peine éclairée par un jour avare, la pièce est glaciale. L'épaisseur des murs l'isole des rumeurs du monde. Les tentations s'arrêtent à la porte de

Thoor Ballylee où l'œuvre de Yeats a maîtrisé les enthousiasmes fervents de la jeunesse et, aussi, ses premiers chagrins. Épanoui littérairement et déjà s'éloignant de la politique qui allume des incendies partout sur son passage, le message du poète dépasse les querelles nationales et franchit les frontières. À Thoor Ballylee, Yeats est entré en loge. Il a encore vingt ans devant lui pour se libérer des chaînes qui entravent son universalité, quatre ans pour voir le prix Nobel couronner sa pensée : « Je vois, dit-il à cette époque, des fantômes de haine et d'un cœur trop plein et d'un vide qui s'annonce… »

On l'imagine, lui de si belle taille, marchant à pas comptés dans ces pièces lugubres, se baissant sous le très bas linteau des portes ou montant de biais dans l'escalier intérieur trop étroit pour sa forte carrure. À l'étage au-dessus, sa chambre sous le toit en terrasse ouverte au monde : « Tout en haut de la tour, je m'appuie sur la pierre brisée. Comme une poudre de neige, le brouillard traîne sur toutes choses… »

On comprend aisément que, très proche de Coole Park où réside lady Gregory, égérie de la Renaissance celtique, Yeats y retourne fréquemment prendre l'air du temps. Après la vie d'ermite, c'est le confort, une ambiance religieusement littéraire. Coole House est plus une gentilhommière qu'un château. On l'y entoure de respect et de ferveur. Ce sont, malheureusement, les derniers fastes de cette femme si peu ordinaire. Lady Gregory a épousé la cause de la liberté irlandaise avec une liberté d'esprit et une ténacité d'autant plus remarquables que, dans ses manières et ses propos, elle caricature la classe des grands propriétaires anglo-irlandais qui, depuis Cromwell, ont pillé l'Irlande asservie, mais, comme il arrive souvent, maîtres et serviteurs déteignent les uns sur les autres. Pour lady Gregory, le monde se divise entre les possesseurs d'une brosse à dents et la piétaille qui n'en a pas. En même temps, elle défendra la première pièce de Sean O'Casey *The Shadow of a Gunman* et invitera chez elle l'auteur : un communiste arrivé sans cravate et même sans « col de chemise » au grand scandale de la domesticité. Bien qu'elle s'en arroge le droit depuis son mariage avec lord Gregory (mort en 1892), elle pose pour règle qu'on ne parle jamais politique avec une femme. De Miss Horniman, une Anglaise de Manchester, riche héritière d'une marque de thé et surtout mécène de l'Abbey Theatre relancé par elle et Yeats, elle dira, avec le dédain aristocratique que l'on imagine : «Je crois que c'est une erreur de traiter les commerçants comme s'ils avaient la même échelle de valeurs que nous.» Elle déteste les épouses de ses amis écrivains. À son nom ou, plus exactement, au nom de feu lord Gregory, est attachée une infamie qui date de la terrible famine de 1848-1850. Sir William a fait voter par le Parlement britannique la « loi d'éviction » : tout métayer qui n'aura pas réglé en temps voulu les arrérages de son bail sera chassé de sa ferme par la police et sa maison détruite. Certes, elle n'y est pour rien, mais, dans ses attitudes, restent encore des relents de l'impitoyable mépris aristocratique pour la misère de ces temps affreux. Elle ne dit jamais « un catholique », elle dit « un papiste » au moment où elle crée une école gaélique à Kiltartan, sa paroisse. Yeats est convié à consacrer cette école et pond un poème dont, par charité, on ne citera pas plus de deux vers :

Mon pays est Kiltartan
Mes compatriotes sont les pauvres de Kiltartan.

Transformée en musée, l'école est un chef-d'œuvre de mauvais goût, même en Irlande où la compétition est rude. On jurerait une gare en pays houiller. La charmante dame qui vend les billets d'entrée — mais pas de souvenirs en toc — ressemblera tout à fait à lady Gregory dans un lustre ou deux. À part trois lettres notables, l'exposition est sans intérêt : coupures de journaux, photos, affiches, quelques livres et, dans l'arrière-salle, la reconstitution d'une classe. Tout y est : encriers, cahiers, plumes, tableau noir, pupitres, et le mannequin en jupe longue d'une jolie institutrice qui a l'air de s'envoler comme Elza Poppin. Rien de vraiment passionnant. Par pure politesse, à la fin de mon tour du « musée », je m'attarde devant le comptoir de la charmante dame qui réclame les deux euros de la visite. D'une main nonchalante, pour me tenter, elle remet de l'ordre dans quelques brochures et cartes postales éparpillées sur un présentoir. Derrière moi s'impatiente un vieux couple en parka rouge, coiffés l'un et l'autre de chapeaux de brousse bien grands pour leur petite taille. Je n'ai pas fini de fouiller dans ma poche l'appoint pour régler mes modestes brochures que le vieux monsieur s'explique joyeusement.

— Nous arrivons d'Australie ce matin. Du Canberra. Mon nom est Murphy, Seamus Murphy. Ma sœur est Moira, Moira Murphy... Notre famille est originaire de Gort. C'est notre première visite à la terre des ancêtres.

— Grand-papa était au service de lady Gregory.

— Grand-papa parlait toujours de lady Gregory.

— Nous sommes très émus. C'est une grande joie de venir au pays et de visiter enfin Coole House.

— D'après grand-papa, il n'y avait pas de plus belle maison dans tout l'Ouest.

Derrière son comptoir, la dame est sincèrement désolée. Avec les précautions que l'on prend pour annoncer un deuil récent, elle a le triste devoir de leur apprendre que si l'ex-école de Kiltartan a été restaurée et conserve des reliques de lady Gregory, Coole House n'existe plus depuis 1947. Devenu propriétaire, l'État l'a vendue à un démolisseur. Les matériaux, pierres, ardoises, huisseries, cheminées ont servi à construire une dizaine de bungalows jumeaux qui flanquent Gort.

— Vous plaisantez ! s'exclame le petit homme dont la voix tremble. On nous aurait prévenus. Grand-papa était au service de lady Gregory pendant dix ans. Nous venons d'Australie...

146

— Du Canberra ! précise la sœur comme si ça rendait la chose encore plus invraisemblable.

Sans prétendre les consoler, il me semble que je peux joindre ma déception à la leur.

— Je ne viens pas de si loin… seulement de Tynagh et il y a un an que j'ai appris la démolition de Coole House. Heureusement Coole Park n'a pas été transformé en lotissement par des promoteurs. Vous devriez y faire un tour.

— C'est très bien entretenu, dit la dame du comptoir. À dix minutes d'ici.

Comme un bus les a déposés là et qu'il n'y en aura pas un autre avant midi, je leur offre de les emmener puisque j'y vais moi-même. La chienne qui attendait dans la voiture les intrigue.

— On dirait un labrador. Grand-papa en avait un.

— Non, c'est un weimaraner. Une race allemande.

— Ah, vous êtes Allemand !

— Absolument pas. Tous les maîtres de pékinois ne sont pas forcément des Chinois.

Je sens bien qu'ils aimeraient en savoir plus et je les coupe :

— Je suis Français.

— Grand-papa, dit Seamus, est allé en France,

147

en 1914, volontaire dans un régiment de fusiliers irlandais. Il a été décoré.

— Volontaire ! ajoute Moira. Nous avons la médaille et le certificat pour le prouver.

Malgré leur accent australien pas toujours facile à déchiffrer, je comprends qu'ils sont nés en 1940 et que ces deux « vieux » sont mes cadets de vingt ans.

La grille de Coole Park est grande ouverte, un panneau avertit qu'elle ferme à vingt et une heures, précaution utile pour décourager les *joy riders* qui, à bord de voitures volées, jouent aux stock-cars et abandonnent des carcasses incendiées dans les plus belles forêts. Nous laissons la voiture au parking et marchons jusqu'à l'endroit où se dressait Coole House. L'emplacement est vierge : une pelouse encadrée de murs gris.

— Heureusement que grand-papa n'est plus de ce monde, soupire Seamus. Il aurait une attaque.

Ils aimeraient bien m'accompagner dans ma promenade, mais j'en ai vraiment assez de grand-papa.

— Les pistes sont fléchées, vous ne risquez pas de vous perdre. Et puis, pour être franc, j'aime bien être seul pour me parler dans la tête.

— Vous vous parlez dans la tête ? s'inquiète Moira.

— Oui, je médite.

— Grand-papa aimait aussi méditer. Il marchait des heures en montagne avec son chien.

— Vous ne vous perdrez pas. Il y a des flèches partout. Bonne chance.

Certes, ils sont pathétiques, mais je ne suis pas là pour assumer tous les pathétismes du monde et le souvenir d'un grand-papa. À cent mètres d'ici, ils trouveront, à l'accueil des visiteurs, une carte de la forêt et des cartes postales. Adieu, chers Murphy, j'aime marcher seul dans les pas d'un poète. L'allée longe un pré, un moniteur y règle les jeux d'un groupe d'enfants.

En s'évadant du sinistre Thoor Ballylee pour s'aérer à Coole House, Yeats change de siècle. Dans ses vieux jours — elle a soixante-sept ans en 1919 —, lady Gregory maintient à grand-peine le cérémonial d'avant la guerre. Il y a encore des domestiques, la maison est chauffée. Si la cave est vide — Yeats en est pas mal responsable —, la chère reste bonne. Le futur prix Nobel (1923) vient désormais en hôte payant, ce que compense sa place à table, vis-à-vis de lady Gregory. Elle n'est d'ailleurs même plus usufruitière. Son fils est mort à la guerre et la propriété appartient à sa belle-fille que tout ça doit embêter et qui préfère vivre à Galway. Les apparences sont sauvées, lady Gregory reste maîtresse de maison et son admiration pour Yeats ne s'est pas démentie bien qu'il se soit octroyé la paternité de *Cathleen Ni Houlihan*, la pièce qu'elle a écrite et à laquelle il s'est contenté d'apporter quelques corrections de forme. Une préface et un poème sur la mort du fils, Robert Gregory, l'ont blessée. Elle a oublié ou feint d'oublier. La Cause qu'ils servent l'un et l'autre depuis tant d'années est au-dessus de ces mesquineries. À chaque venue, il est l'hôte d'honneur. On s'habitue vite à un trône. Yeats n'en descend pas.

Face à un banc où lady Gregory a souvent été photographiée, se dresse un superbe hêtre roux dont le tronc est entouré d'un grillage protégeant les signatures ou simplement les initiales gravées dans l'écorce : Bernard Shaw, les deux frères Yeats — le peintre et le poète —, Sean O'Casey, John Masefield, J. M. Synge, d'autres moins connus, mais tous acteurs de la Renaissance celtique. L'ombre du hêtre a brûlé la pelouse. Yeats a évoqué la promenade de la vieille dame dans son royaume :

Bruit d'une canne sur le sol
Le bruit de quelqu'un qui va d'un banc à l'autre...

Le chemin s'engage sous des arbres vertigineux, des pins ou des hêtres. Une lumière laiteuse tombe du ciel entre les branches qui ploient sous les bonds des écureuils :

> *Viens jouer avec moi*
> *Pourquoi t'en vas-tu en courant*
> *Dans l'arbre qui tremble*
> *Comme si j'avais un fusil*
> *Pour te frapper à mort ?*
> *Alors que tout ce que je désire*
> *C'est gratter ta tête*
> *Et te laisser aller.*

Plus bas, entre les frondaisons, brille un lac serti de prairies et bordé de joncs. D'un belvédère, un lutrin rustique offre d'autres vers de Yeats :

Les arbres s'endorment dans leur automnale beauté,
Secs sont les sentiers, à travers bois,
Sous la lumière déclinante d'octobre, l'onde
Reflète un ciel paisible.

151

Sur les eaux débordantes parmi les pierres grises
Se promènent neuf et cinquante cygnes.

Le compte est exagéré. Ils sont peut-être cinq ou six à glisser sans laisser une ride à la surface plombée de Coole Lough. Léger est le ciel, grand le silence. Pas une âme. À part les cygnes, mais les cygnes ont-ils des âmes ? Le ciel est tragiquement vide, le silence si parfait qu'il attire comme un gouffre.

Je sais que je rencontrerai mon destin
Quelque part dans les nuages au-dessus de nous...

Je reviens par une autre allée bordée d'arbres dont les troncs montent si haut qu'on jurerait des séquoias. À leurs retours, les propriétaires anglo-irlandais rapportaient d'Asie ou du nord des Amériques une flore qui n'a jamais été aussi heureuse qu'en Irlande : trembles, érables, cèdres, bouleaux argentés. On aimerait voir des chevreuils traverser le chemin. Parqués dans un enclos, ils ne sont pas plus d'une dizaine, d'un roux flamboyant, couchés dans l'herbe haute, sans un regard pour le voyeur qui les plaint. Yeats revenait à Coole House par le même chemin où les feuilles mortes crissent sous les pas :

Sombre chemin pierreux où bourdonnent les abeilles sauvages.

Leur soudain parfum dans l'air si pur
Sept senteurs, sept murmures, sept bois ...

Quelques jours après, Alice m'accompagne à Sligo (Sligeach !). Comme elle conduit, je ne me préoccupe que de regarder la route. Voilà des années que je ne suis pas retourné dans le Nord, à Tuam, Claremorris, Charlestown. J'aimais les nobles maisons blanches aux arêtes en damier noir et blanc, les derniers cottages à toits de chaume, les routes encombrées par les migrations de bétail ou de chevaux en cavale broutant l'herbe si riche des bas-côtés. Encerclé par un troupeau de moutons, on s'immobilisait dans une mer de laine frisée, une odeur de suint et les bêlements apeurés des agneaux. Jamais ne venait l'idée de s'impatienter. Le temps, tout le monde en possédait la même dose et, une fois libéré des moutons, apparaissait, en général un grand sec et gaillard sans âge, chaussé de bottes en caoutchouc, coiffé d'une casquette raidie par la crasse, vissée sur son crâne, il nous bénissait avec sa canne à crosse :

153

— Beau temps, n'est-ce pas ?

On arrêtait les essuie-glaces et baissait la vitre. Une bouffée d'air glacé nous sautait à la gorge. Beau temps, en effet. Ça pouvait être pire.

Le bétail ne transhume plus par les routes nationales et il me semble que le temps est moins humide et moins venteux. Les nouvelles routes traversent des campagnes nettoyées dont ont disparu les carcasses de voitures et les vieux tubs en guise d'abreuvoirs, mais que clôturent de plus en plus souvent des barbelés tendus par des piquets de ciment. Que sont devenus nos barrages d'aubépine, de ronciers des haies ou de fuchsias sauvages ? Les directives européennes ont aussi obligé à construire des étables et, pendant l'hiver, le paysage semble abandonné, sans vie, sans âme. On ne s'arrête pas pour laisser la route à un troupeau de vaches rousses, mais pour que les gendarmes vérifient les taxes des voitures, leurs assurances, la couleur du diesel. Le ministre du Tourisme aimerait bien qu'on ne qualifie plus l'Irlande de « pays de l'arnaque ». Vaste programme !

La campagne du comté Sligo est tantôt bucolique, tantôt dramatiquement souillée par des constructions neuves qui poussent en désordre comme des champignons vénéneux ajoutant de nouvelles couleurs à la palette déjà riche du Galway : rose bonbon, caca d'oie, vert amande, rouge boucher, café au lait, toutes percées des mêmes fenêtres standardisées, ornées de passements de grosse dentelle. Des nains hilares, des oies stupides, des cygnes, des chats en faïence veillent sur un jardinet trop propre. Ô mes enfants, qu'êtes-vous en train de faire d'un des plus poétiques pays d'Europe ?

La prospérité s'est abattue sur l'Irlande comme la pédophilie sur le bas clergé. Yeats reconnaîtrait-il son Sligo ? Certes le cœur de la ville n'a guère changé, mais les voitures — cette épidémie des vieux pays — asphyxient les étroites rues. À peine peut-on y circuler à pied. Je ne suis pas certain non plus de reconnaître l'aristocratique Sligo des années soixante, dans ce joyeux bariolage qu'anime une belle jeunesse en liberté, affalée aux terrasses des restaurants et des pubs bordant le canal. Partout vous poursuit la musique vociférée par des haut-parleurs.

La tournée des libraires par quoi commence toute visite est plutôt décevante. Dans un appentis, une petite dame effeuillée, moulée dans son jean, couverte de pacotille, tient une boutique d'échange où on apporte le livre qu'on vient de lire et d'où, moyennant une cotisation modeste, on repart avec un autre livre, en général un vieux best-seller au papier jauni. Il y a quelques années, à Ballina, lors d'un colloque Yeats, nous avions, Pierre Joannon et moi, découvert un de ces bouquinistes qui nous enchantent l'un et l'autre : logé dans l'ancien sous-sol d'une vieille maison, il savait tout sur Yeats et le comté Sligo. On épluchait à volonté les piles de bouquins entassés sur le carrelage ou en désordre sur des étagères au dernier degré de la fatigue. Une joie pour les amateurs. J'ajoute qu'il parlait français à la perfection. Malheureusement, à Sligo, les trois libraires ont fait peau neuve. Dans des magasins aussi attrayants qu'une grande surface, les livres sont rangés par genres. Le secteur Yeats est le plus fourni. Non seulement son œuvre complète est accessible mais aussi des dérivés, des essais qui ne sont pas tous à sa gloire.

Frustrés de ne rien trouver d'intéressant, nous prenons la route de Rosses Point où, pendant l'été, venait vivre la famille de notre poète. Sur ses années de vacances scolaires, il a écrit : « En fait, de mes vacances, je ne me souviens que des chagrins… Ils ne venaient pas de mon entourage mais de moi qui les inventais. » À croire que c'est pour lui que Térence et, bien après, Baudelaire ont écrit *L'Héautontimorouménos*. « Bourreau de sa vie », il le sera jusqu'à la retraite à Roquebrune-Cap-Martin et sa mort.

Tout de suite après Sligo, le bras de mer apporte le vent marin. Entre la route et la lagune se blottissent des domaines au secret dans une végétation aussi luxuriante que dans le Kerry. De l'autre côté de la route, s'étalent les habituels bungalows, des restaurants fermés, des snacks déserts. Comme, à cette heure, le ciel bas est gris, on s'attend au retour en force de la marée quand l'Océan se rue dans le chenal. Impossible de situer avec précision la langue de terre ferme qui sera recouverte en fin d'après-midi : l'herbe est pauvre, brûlée par le sel et l'iode. Ici, pourtant, s'asseyait John Butler Yeats, peintre et père du poète, lisant à son fils William, les *Lais de la Rome antique*, une bien sévère lecture pour un enfant qui rêve d'une vie de marin. Tout est contradictoire dans la formation de Yeats avant qu'il rencontre la gloire de son vivant. Ni l'élégance de son être, ni le lyrisme de sa pensée, ni sa constitution physique ne le poussaient à une vie d'aventure, alors il sera un révolté intellectuel et un amoureux transi, de la pâte dont on fait les poètes.

Dans la vase de Rosses Point, on enterrait les chevaux morts. Le grand Océan s'achève ici en rouleaux qui s'affalent épuisés sur la plage ou volent en éclats brisés par les falaises. Dans le ciel, c'est un ballet de mouettes, de goélands et, me semble-t-il, de pétrels qui jouent avec les cerfs-volants planant au-dessus d'une crique de sable jaune. Les pères s'amusent bien avec les jouets qu'ils offrent à leurs enfants. Pour la famille de Yeats, la tradition voulait que l'apparition en rêve d'un oiseau de mer annonçât une mort ou quelque grand danger menaçant un proche. Les oiseaux n'ont pas tort. La vie de la verte Erin est toujours en péril. Si les hommes de pensée n'y veillaient plus, son histoire, ses cauchemars, ses songes féeriques, son extraordinaire faculté de s'évader de l'épuisante réalité, pour vivre de fantasmes, seraient à jamais oubliés.

Rosses Point et, à quelques kilomètres au nord, Drumcliff tirent leur mystère et leur attraction d'une orgueilleuse table rocheuse sillonnée sur ses flancs de cicatrices creusées dans la roche grise par l'écoulement des eaux — j'allais écrire « des larmes ». Dressé au bord de la côte, en défi à l'ouest, Benbulben est une énigme de la nature. Quelles forces, quelles furies ont soulevé de terre ce gigantesque caillou à la jupe verdâtre festonnée et l'ont cyniquement abandonné là pour intimider l'Océan ? Benbulben est enraciné comme un monstrueux météorite échoué sur la Terre après un long voyage dans l'Infini. Ou après une colère des esprits souterrains. Sans les Titans et les Cyclopes les mythologies n'expliqueraient pas le chaos du monde. Depuis la nuit des temps, les mythes répondent plus clairement aux interrogations existentielles que les invraisemblances de la raison. Les hommes n'ont pas besoin de raison mais de surnaturel. Enfant, Yeats n'apercevait jamais Benbulben sans un sentiment d'effroi. Autour de lui, les domestiques, les marins de son grand-père, ses jeunes camarades peuplaient Benbulben de monstres à tête de chien et corps de serpent, de lutins à rire de crécelle, les *leprechauns*, géniaux mystificateurs promettant la fortune à qui leur fera le change d'un sou, de la sorcière Vera dont la baguette magique transforme en pierre les voleurs et les intrus. Des récits de sorcières, Yeats conserva sa vie durant une répulsion pour les vieilles femmes. L'humour tenait aussi sa place dans les contes les plus abracadabrants : un berger avait parié de plonger dans une mare maudite. Il s'était jeté nu dans la mare, disparaissant à jamais, semblait-il, mais quelques jours plus tard, il envoyait d'Australie un message pour qu'on lui fasse parvenir ses vêtements. Si on s'égarait sur le plateau de Benbulben ou autour du lac de Glencan, on rencontrait les fantômes de chers disparus, des héros, des héroïnes depuis longtemps dans l'autre monde, des esprits bien ou malfaisants, vengeurs ou secourables. Saint Colomba est venu prier là avant de partir pour le continent fonder des monastères et sauver les Écritures sacrées. La légende veut que, invité par une riche dame de Coney Island dans la baie de Sligo, on lui servît en guise de lapin, faute de mieux, un pauvre chat rôti mais apparemment pas mort car, au moment d'être découpé dans l'assiette du saint, il avait bondi et retrouvé la vie. Benbulben agit sur les esprits comme une boule de cristal. En contemplant sa silhouette trapue, on voit se rejouer les étapes de la difficile et sanglante naissance d'une nation celte : Ferdiad défendant les droits de la belle reine Maeve affrontait son ami Cuchulain du lever au coucher du soleil. La nuit venue, les deux combattants se pansaient mutuellement leurs blessures. Ferdiad finit par succomber et Cuchulain adoré des femmes fut à son tour tué par le vaillant Conall qui n'avait ni son aura ni sa valeur. Saisi de remords, Conall creusa lui-même la fosse de Cuchulain dont, Némé, l'amante, se fit enterrer vive avec le héros.

Du trésor des *Mirabilia Hibernia,* Yeats rêva toute sa vie, au point, dans les dernières années, de hasarder sa pensée dans les nuées de l'astrologie et de l'ésotérisme, son épouse, Georgie Hyde Lees, se donnant, elle, à l'écriture automatique.

Si comme les fantômes et les réincarnés de son enfance, Yeats a le pouvoir de revenir à Benbulben, grande sera sa surprise (et probablement son indignation) de voir son patronyme utilisé à des fins commerciales par l'industrie hôtelière, les *Bed and Breakfast,* les restaurants et ces boutiques de pacotille entre Sligo et Drumcliff. Par quelle aberration le comté Sligo n'est-il pas encore appelé le comté Yeats ? Dans une sorte de caravansérail qui porte, bien entendu, le nom du poète, de gentilles serveuses aux yeux émerillonnés, aux joues vernies et rosies par le va-et-vient entre la cuisine et la salle, courent entre les tables et déposent devant nous des assiettes fumantes de carrelets panés entourés d'une montagne de patates. L'odeur générale de la salle tient du mélange des choux et de la bière tiède que, depuis l'interdiction de fumer dans les lieux publics, ne masquent plus les parfums de la tabagie. Je regarde autour de nous : les Irlandais auraient-ils, sans que je m'en sois aperçu, pris tellement de poids ces dernières années qu'à table les fesses débordent des chaises paillées et les seins bondissent hors des corsages ? Ou est-ce que, porté par mon enthousiasme et hanté par l'histoire de la grande famine de 1848-1850, je ne les ai pas vus, ce qui s'appelle réellement *vus*, s'empâter à ce point ? Alice m'assure qu'ils ne sont pas tous comme ça, que c'est une obsession chez moi, qu'il y a, dans un angle de la salle, une table d'athlétiques jeunes hommes accompagnés de filles minces comme des lianes et le nombril à l'air.

Terminée la brève cérémonie du déjeuner dans le caravansérail, nous retrouvons l'air marin et une lumière de rêve sur la baie, sur Benbulben. Le cimetière est très proche, visible de la route. Rien de théâtral comme le Grand-Bé à Saint-Malo où repose Chateaubriand. Yeats a voulu dormir son dernier sommeil au pied de sa montagne magique, dans son comté Sligo. L'église — ou devrais-je dire le temple bien qu'en Irlande le mot *church* soit pratiqué pour les deux confessions —, l'église est sans éclat, bâtie sur le mode traditionnel : un clocher carré, un corps de bâtiment trapu, à l'intérieur, c'est l'austérité de la religion réformée. On est là pour écouter ou chanter sans rien qui distraie de la prière. L'émotion est à l'air libre dans ce cimetière modeste, avec peu de tombes dont plusieurs sont envahies par les mauvaises herbes ou le lierre qui a, dans toute l'Irlande, une voracité effrayante, étouffant les arbres, envahissant les maisons, recouvrant les dalles et même les forçant de ses griffes, les soulevant jusqu'à découvrir une sépulture vide où tout n'est plus que poussière. Il est là, lui, à gauche en entrant, sans autre signe qu'une stèle de grès noir dont tout Irlandais connaît l'épitaphe :

Cast a cold Eye
On Life, on Death,
Horseman, pass by !

et son nom avec les deux dates qui ouvrent et ferment son passage en ce monde : 13 juin 1869 — 22 janvier 1939 : « Regarde froidement — La vie, la mort, — Cavalier, passe ton chemin ! » Ce sont les trois derniers vers du dernier poème écrit en France au Cap-Martin, à peine quatre mois avant qu'il s'éteigne.

Under bare Ben Bulben's head
In Drumcliff churchyard Yeats is laid.
An ancestor was rector there
Long years ago, a church stands near,
By the road an ancient cross,
No marble, no conventional phrase ;
On limestone quarried near the spot
By his command these words are cut :
Cast a cold Eye
On Life, on Death,
Horseman, pass by* !

Pas de fleurs ni de niaises couronnes ni de photos comme chez les catholiques. Pas de marbre, juste une stèle de grès noir et une dalle anonyme. Les mauvaises herbes rampent autour pour achever le triomphe de la mort éternelle, mais Benbulben veille pour des millénaires, pharaonique mausolée de songes et de merveilles, gardien des

---

* Au pied de Benbulben à la tête nue / Dans le cimetière de Drumcliff, Yeats est couché. / Un ancêtre y fut recteur / Il y a bien des années, une église est proche, / Sur la route, une ancienne croix. / Nul marbre, nuls mots convenus ; / On a taillé tout près d'ici un bloc de calcaire / Et sur son ordre, on a gravé ces mots : / Regarde froidement / La vie, la mort, / Cavalier, passe ton chemin !

164

féeries, des sorcelleries et des légendes celtiques qui hantaient le petit garçon, plus tard un homme à la recherche d'une âme pour sa nation et pour lui-même.

Construit au XVe siècle par le clan des Mac Carthy, le château fort de Blarney est, comme tous les châteaux forts, à la fois ennuyeux et imposant. Il n'en jouit pas moins d'une réputation qui dépasse le comté de Cork. Sous le chemin de ronde de son donjon, une des pierres taillées saille du mur. Elle est censée venir d'Écosse, de la même carrière que la célèbre pierre de Sconce si longtemps cachée sous le trône d'Angleterre et, récemment, rendue en cérémonie à son pays d'origine. La pierre de Blarney donne des ailes à la parole de ceux qui la baisent. Le point délicat est qu'elle est seulement accessible par une trappe dans le chemin de ronde et que, pour l'effleurer des lèvres, on doit s'allonger sur le dos, la tête et le buste dans le vide, retenu seulement par les mains agrippées à deux poignées scellées dans le mur. En se cambrant, le visage est à la hauteur de la pierre et, quand on n'est pas un maniaque de l'hygiène — il y en a —, un simple contact des lèvres suffit à conférer ce qu'on appelle en anglais le *gift of gab*, autrement dit le don du bagout. La position à prendre est assez dangereuse, surtout si l'on est sujet aux vertiges. Pour parer à une chute toujours possible, un gardien aide les pèlerins à se redresser. Ce gardien assure prêter main-forte à quelque deux mille personnes par an, hommes ou femmes.

Les Irlandais ne sont pas tous allés à Blarney. Ils sont même plutôt rares à en avoir besoin et sur les lieux on rencontre certainement plus d'étrangers. Le bagout — ou, pour parler bibliquement, le Verbe — est l'arme absolue des peuples qui refusent de se soumettre à un oppresseur. Celui qui possède la maîtrise du Verbe méduse ou rend fou son maître. On trompe d'abord par nécessité, puis on s'amuse de sa propre imagination. La liberté reconquise, le Verbe reste une griserie, un remède contre les lourdeurs et les vicissitudes de ce monde.

Un voyageur du XVIIIe siècle s'émerveillait déjà de l'art avec lequel les Irlandais se moquent de la réalité. Le chevalier Bougrenet de la Tocnaye, gentilhomme breton exilé à Londres pendant les années sanglantes de la Révolution, avait parcouru l'Écosse à pied et, à son retour, publié des observations à la fois judicieuses et spirituelles. Encouragé par le succès de son premier récit de voyage, il entreprit en 1797 un même tour de l'Irlande.

La Tocnaye s'embarrassait de peu : un baluchon avec des vêtements et un peu de linge propre, une épée au côté, quelques livres sterling en poche et des lettres de recommandation pour des gentilshommes de sa condition ou des évêques. Sa relation en français est toute de bonne humeur et d'une parfaite honnêteté. Hébergé tantôt dans des châteaux, tantôt dans des auberges ou des chaumières sordides, il en sort couvert de poux et de puces, mordu cruellement par les punaises qu'il noie en plongeant nu dans les eaux glacées de la mer d'Irlande ou de l'Atlantique. Généreusement traité par les uns ou contenté par les autres d'un quignon de pain rassis et d'un hareng séché, il est tout à son bonheur d'écouter. À Galway, seul port de la côte ouest, il découvre une cité dans le marasme. Un marchand de vin est particulièrement éloquent :

— Avant que la France ait su faire du vin, nous en faisions ici même à sa place.

— Comment ? s'étonne La Tocnaye. Dans mon périple, je n'ai jamais aperçu de vigne.

— Oh, monsieur, vous avez raison ! Nous n'avons jamais cultivé la vigne, mais, en France, le vin est simplement du jus de raisin que nous importions ici pour le rendre buvable. Malheureusement les marchands de Bordeaux ont appris de nous à traiter le jus de raisin et à en faire du vin aussi bon que le nôtre. Ça nous a coupé l'herbe sous le pied.

La Tocnaye laisse au lecteur le soin de deviner sa réponse. Espérons qu'il a compati. De telles choses ne se discutent pas. Deux siècles plus tard, Nicolas Bouvier raconte sa visite à Clonmacnoise, haut lieu spirituel et savant du christianisme dès le VIe siècle. L'hiver est exceptionnellement rigoureux. Le gardien du site, un jeune homme, ne sort pas de la cabane en rondins où il offre à l'unique visiteur du jour une brochure sur l'histoire de l'abbaye et, plus précieux encore, un thé brûlant.

« Par sa fenêtre, écrit Bouvier, je vois un couple de faisans picorer sur la route qui brille de tous ses lacets inutiles. Quand je demande au gardien la raison de ce tracé erratique, il me répond qu'ici, autrefois, les chemins étaient empierrés par des femmes qui n'aimaient pas que les vents les décoiffent. Quand le vent tournait, elles en faisaient autant. Cette explication m'a entièrement satisfait. »

Le « don du bagout » n'a pas été accordé à l'Irlandais pour de communes raisons mais pour qu'au monde, ignorant et irrationnel, il apporte des raisons irréfutables. Dans sa générosité, il ne se contente pas de rêver d'une éthique enfin libérée de l'écrasante logique, il invite son interlocuteur à monter dans son bateau.

On ne s'étonnera pas qu'un Irlandais — du Nord, il est vrai, et à Derry de surcroît — ait eu l'idée mirifique de créer un musée des Arts verbaux. L'acception est large. Sam Burnside, son fondateur, assure que les composantes des « Arts verbaux » sont au nombre de quatre : parler, écouter, lire, écrire. Comme il a l'esprit large, il englobe sous ces quatre titres la voix qui chante et la voix qui parle. C'est, nous dit-il cette fois avec quelque raison, la source du plus grand trésor de l'Irlande : ses histoires, sa mythologie, ses légendes, les plaisanteries, l'humour d'une part et, d'autre part, les écrits… On finit toujours par y revenir ! Sam Burnside veut que son musée des Arts verbaux provoque l'imagination et lui impose un rôle : « Il faut, déclare-t-il, que l'imagination s'exerce sans limites arbitraires. C'est à nous d'imaginer et de faire partager à d'autres cette vision. » Le marchand de vin de Galway aurait sûrement aimé la conclusion de l'inventeur du musée des Arts verbaux ! « ... Pendant qu'on vous parle, il faut que vous écoutiez... une des caractéristiques des gens de l'Ulster est qu'ils écoutent peu et mal. Écoutez... je le rappelle... écoutez quand on vous parle. »

Les visiteurs du musée des Arts verbaux apprendront avec un plaisir mêlé de stupéfaction que parler est un moyen de communication plus facile et plus rapide que la lecture, la poste, les médias en général.

Depuis quelque temps, Leslie R. m'approvisionne en histoires :

« Nous ne leur apprenons rien, dit-il en regardant ses chiens jouer dans la cour. Ils savent tout mais, pour quelque bêtise qui date du Paradis, on les a chassés et privés de la parole. Comme pour l'homme, la malédiction dure encore. Parfois on jurerait qu'ils vont la conjurer. Vers les dix ans, ils n'aboient plus, ils marmonnent et il faut être complètement idiot pour ne pas comprendre ce qu'ils disent. Un chien qui atteindrait les trente ans devrait s'exprimer aussi clairement que vous.

— Et que vous !

— Oh ! pour ça, nous n'avons aucun mérite. On a chassé du Paradis nos ancêtres pour un péché véniel. Une pomme ! Tenez, j'en ai des paniers pleins chaque année dans mon modeste verger et personne du village ne se dérange pour les ramasser. Quand j'étais enfant, mes parents appelaient le maître d'école qui interrompait la classe et nous envoyait ses élèves avec de grands sacs. Maintenant, j'ai beau leur dire de se servir à volonté, ils préfèrent les pommes sous cellophane du supermarché, bien rouges et bien lisses. Alors mes pommes — qui sont très bonnes, je vous l'assure — mes pauvres pommes pourrissent sur place et je suis harcelé jusque dans la maison par des guêpes complètement saoules... Non, nous n'avons aucun mérite l'un et l'autre. Nos parents nous ont bien élevés. Vous écrivez des livres et moi je vis sans rien faire d'autre que louer mon herbe à des voisins et, presque pour le plaisir, je garde des chiens et passe mes soirées à lire des livres sur les bêtes et la nature. »

C'est un grand homme sec aux longues jambes, sans un atome de graisse dans un visage dont la peau parcheminée épouse si étroitement les pommettes, les orbites, la mâchoire et le nez, qu'on la croit prête à éclater et dévoiler le masque mortuaire. Il lui reste des dents. Ses cheveux sont d'un blanc parfait, entretenus avec soin. À nos rencontres en forêt, il est toujours coiffé d'un chapeau cloche en tweed, habillé d'un jean très fatigué et d'une chemise en laine à carreaux. Rien d'autre, même s'il pleut et qu'il doit rentrer trempé.

— Comme les chiens, dit-il, je me sèche à la chaleur de mon corps et, comme les chiens, je n'attrape ni rhume ni grippe.

Ce n'est pas la peine de lui tendre une perche, il devine toujours ce qu'on va lui demander.

Au revers de la seule veste qu'il accepte de porter quand il se rend à la messe, on distingue, pas mal écaillé, le badge à l'image du Christ, insigne des abstinents. Il ne boit que du thé. De sa maison, je connais seulement l'extérieur. Nous nous sommes rencontrés dans la forêt de Pollnakockaun où il promène ses chiens et ceux dont il a la garde et moi le mien. Cette forêt est dite « réserve naturelle ». À l'entrée, un panneau assure qu'on y rencontre des chevreuils, des faisans, des pics-verts (ce dont je doute), des hiboux moyens ducs (mon livre, le *Guide des oiseaux d'Europe*, prévient que leur observation est difficile, mais il est vrai qu'on entend parfois leur hoû-ou), des bécasses et *un* couple d'éperviers d'Europe. Les chevreuils se montrent assez facilement en hiver. De loin. Un seul s'est approché de moi, un fier mâle aux bois sublimes. Nous sommes bien restés deux ou trois minutes à nous regarder les yeux dans les yeux.

— Je le connais, dit Leslie. Il s'appelle Icare et vous comprendrez pourquoi rien qu'en le voyant sauter un fossé. Il vole. Naturellement, je le rencontre seulement si je suis seul. Il déteste les chiens que son odeur rend fous. Il y a trop de biches et pas assez de mâles avec lesquels il pourrait se battre. La race est en danger. Personne ne s'en occupe vraiment.

Quand j'ai le plaisir de tomber sur Leslie, nous marchons de conserve, sa meute très cosmopolite devant lui, ma chienne, prudente, restant au pied. De sa canne, il dégage un caniveau, fouette un roncier dont une branche se balance en travers du chemin. Il continue à pas lents si je m'arrête au spectacle d'une trouée dégageant la vue vers le miroir d'acier du Lough Derg et les collines mauves des Slieve Aughts. Ces trouées sont les inévitables coupes de la société qui exploite Pollnakockaun (je sais, ce n'est pas un nom qui va de soi, mais je n'y peux rien). À la place des grands pins plantés très serré, il n'y a plus qu'un champ de bataille : troncs horriblement mutilés, branches émondées, profonds sillons de la machinerie. Des bouleaux, des frênes, des chênes verts ont été épargnés. Sans la protection des pins, ils sont d'une déchirante fragilité. La moindre bourrasque les traite comme des roseaux.

En marchant derrière ses deux braques, ses deux labradors, un setter, un springer, deux fox-terriers, deux chiens de meute et des harriers, Leslie dit :

— Ces deux derniers sont à moi. Je les ai sauvés de la meute quand ils étaient encore des chiots. Autrement, ils seraient morts à cinq ou six ans. Les maîtres d'équipage leur demandent trop. Il est vrai que les harriers adorent ça ! Mieux vaut peut-être de vivre intensément très peu que longtemps comme une larve.

À qui pense-t-il ?

— Leur instinct est dû à leur seul mérite. Moi, j'ai eu des parents qui m'ont beaucoup appris. J'ai même fréquenté l'université de Galway. Oh... sans goût ! Un jour où, au lieu d'aller aux cours, je traînais dans Shop Street, un chien a poussé un hurlement tout à fait humain et traversé en flèche la chaussée pour s'asseoir à mes pieds, me barrant le passage et tendant la patte. Ce n'est pas ce geste spontané qui m'a bouleversé, c'est son regard. Noir, brillant, si intense, si humain que mon cœur a cessé de battre : c'était le regard de mon frère mort deux ans auparavant d'une affreuse maladie. Le même regard, chaud, tendre. Suppliant que je le prenne avec moi. Je lui ai dit : « C'est toi, Bill ? » Je ne prétends pas qu'il ait répondu, mais, je vous le jure, ses yeux essayaient de parler. En les chassant du Paradis, on les a aussi privés de verser ne serait-ce qu'une larme.

— Quelle punition ! C'est si bon de pleurer.

— Bill... oui, je l'ai appelé comme mon frère — Bill est resté avec moi. Personne ne l'a réclamé. Je me demande encore s'il avait un maître. Vous me demanderez comment j'explique ça, eh bien, je n'explique plus rien depuis cette rencontre. Et je m'en trouve très bien. Bill est mort comme mon frère. Avant qu'il passe, je lui ai bien dit qu'il ne devait pas revenir, que c'était trop de chagrin. Nous nous reverrons ailleurs que sur terre.

Leslie vit dans sa maison de famille, une maison géorgienne à un étage. Les murs sont de pierre de taille, le toit d'ardoise et les fenêtres à guillotine. Tout est gris, très gris, d'un assez sombre ennui. On devine bien que c'était une maison de gentilhomme il y a une ou deux générations à peine. Le chenil est dans les anciennes écuries. C'est la seule partie qui paraisse moderne et confortable. Le reste ? Je l'ignore et il semble que personne ne soit admis même pour la traditionnelle *nice cup of tea.* Si je klaxonne à la grille, je le vois passer de pièce en pièce, tirer les rideaux, voire des volets intérieurs, refermer derrière soi, à deux tours de clé, la porte d'entrée, décadenasser le chenil et ouvrir la porte d'un van où labradors, braques, setters, harriers s'engouffrent furieusement en aboyant de joie.

— La présence de Bill me préoccupait tellement que j'ai cessé d'assister aux cours. Pendant les cinq années de sa réincarnation, j'ai lutté éperdument pour briser les barrières. Tout ce que je lui demandais, c'était de dire un mot, un seul mot, peut-être simplement un « oui » ou un « non », de préférence un mot avec deux syllabes, mon nom qu'il avait sur le bout de la langue. Je n'ai jamais perdu patience. Pendant son agonie au moment le plus pathétique où ses yeux m'imploraient — vous savez, cette minute où un animal qui souffre vous demande : pourquoi, pourquoi ? — j'ai cru que l'absurde, le cruel commandement de la Création se laisserait fléchir. Eh bien... non. Comme Bill mon frère, Bill mon chien est mort d'une maladie affreuse...

À quelques minutes d'Abbey et de Pollnakockaun, la forêt de Derrycrag s'étend sur près de mille hectares à flanc de coteau. Forêt de chênes à l'origine, dévastée par les besoins de la Royal Navy au XVIIIᵉ siècle, on l'a replantée de résineux. Dans ce sol de terre de bruyère, les pins ont pris des dimensions de conte de fées. La faune est discrète : de jeunes chevreuils, un renard très civilisé qui se plante au milieu du sentier et regarde fixement l'intrus. Le problème de Derrycrag est la duplicité de ses itinéraires. Si, à la première visite, on retrouve aisément le chemin du retour, à la deuxième tout s'embrouille : les allées aboutissent à des clairières mortes ; des fougères géantes, des massifs de lauriers recouvrent les pistes. L'intrus se découvre prisonnier d'une étouffante et vertigineuse végétation qui se referme sur ses pas. La fois suivante, de retour avec de quoi jalonner le parcours — des rubans rouges à suspendre aux branches basses des carrefours —, on se croit le maître de la situation. Huit jours après, c'est tout juste si on retrouve deux ou trois des rubans. Il faut remonter sur la colline à travers bois. Possible mais vexant, avec pour seule consolation d'être près de la sortie, en face d'un petit homme trapu, coiffé d'un béret à oreillettes. Il empile des plaques de mousse dans une carriole tirée par un âne, s'arrête de travailler, enfourne une prise de tabac dans ses narines, renifle et répond :

— Pour quoi faire la mousse ? Mais, voyons, c'est pour les tombes. Cette mousse-là est toute fraîche. Ça plaira au pauvre Tony Murphy. Il m'a rappelé, avant de mourir, qu'il en voulait une bonne couche.

La politesse exige toujours de s'affliger de la disparition d'un être humain dont on ne sait rien, dont on n'a rien envie de savoir à moins qu'il réapparaisse pour nous dire comment ça se passe de l'autre côté.

— Ah ! il est mort ?

— À quarante-cinq ans ! Après toute une vie sans fumer, sans boire, sans femme. Quand je pense au bon temps qu'il aurait pu se payer, j'ai du chagrin pour lui. S'il avait fumé, bu, baisé, il serait peut-être encore là. L'enterrement est cet après-midi à seize heures. Vous viendrez ?

Avec quelques restrictions mentales, certaines promesses engagent peu.

— Je le connais, me dit Leslie le lendemain. Je crois qu'il s'appelle Seamus. Il gagne sa vie avec les morts. Quand personne ne meurt à X., il vit à crédit dans les pubs et les magasins. Un de ces types à ne jamais questionner. Ses réponses sont trop longues. Il aurait pu vous dire qu'on se perd facilement à Derrycrag. Et pourquoi.

La raison est parfaitement claire. Au siècle dernier, une *banshee* (sorcière) vivait en lisière du bois. À sa mort, le curé a refusé sa sépulture au cimetière de la paroisse. De bonnes gens l'ont enterrée quelque part, au milieu d'une clairière. Personne ne sait plus où. Quand un innocent ose s'aventurer dans la forêt, elle l'attire dans ses filets et, s'il a un ou deux chiens, elle leur jette un sort. La *banshee* ne peut plus rien contre un promeneur s'il a soin de s'arrêter à la source de la Vierge. Un sentier plonge entre les arbres jusqu'à la rivière avant que, gorgée d'eau, elle se prenne pour un torrent et se jette en bouillonnant dans le lac. Tout en bas, à la lisière, au bord d'un bassin artificiel dans lequel coule un mince filet d'eau qui guérit les maladies des yeux, se dresse une stèle surmontée d'un tabernacle à la porte de verre. Derrière la vitre une Sainte Vierge en bleu et blanc serre dans ses bras des fleurs séchées. Autour d'elle gisent des banderoles de papier avec des prières et des souhaits ou des avis de décès. Pour s'assurer qu'elle protégera le promeneur contre les malices de la sorcière, il est précautionneux de déposer quelques centimes dans une sébile en étain. Plus de dix centimes serait d'une grande vulgarité. La protection mariale n'est pas à vendre. Il paraît que l'on est encore plus en sécurité si l'on a pris soin d'accrocher aux branches basses des chênes verts entourant la source quelques morceaux de chiffon, voire un morceau de son propre linge. Cette dernière générosité vous assure contre les maléfices de la vieille.

Nous nous donnons rendez-vous à Derrycrag. Sans chiens, a-t-il précisé, si nous voulons rencontrer *le* renard.

— Vous n'avez pas eu beaucoup de temps pour le regarder. Il grisonne. C'est un ermite dont on prétend qu'il est l'âme de la *banshee*. Si on les lâche, les chiens le courent et il les entraîne dans les profondeurs de la forêt. On ne les revoit plus jamais. Vrai ou faux, il est préférable de ne pas prendre de risques. Moi, je crois que c'est vrai, que ce renard est possédé par la *banshee*. Pendant son passage sur terre, elle a beaucoup souffert des hommes. On lui fermait la porte au nez, on l'affamait et on a même brûlé la pauvre cabane dans laquelle elle vivait. Le terrible avec les femmes malignes, c'est que personne ne va au-devant d'elles, ne leur offre la paix, de quoi ne pas mourir de faim. On dresse les enfants à les craindre et les haïr, à leur lancer des pierres ou à déposer des immondices devant leurs portes. Vous comprenez pourquoi elles se défendent en jetant des sorts ! Avec les renards, c'est la même chose. Ils égorgent les agneaux parce qu'on ne leur laisse que les os à ronger. Ils empuantissent les champs et les forêts jusque dans leurs terriers pour échapper à la meute. On les tue, pour rien, pour le plaisir de tuer et bien qu'ils soient immangeables. Dans ma famille venue d'Angleterre au XVIIIᵉ siècle, nous avons toujours eu des relations privilégiées avec les renards, bien que tous mes arrière-arrière-grands-parents aient eu chacun son équipage et sa meute. On ne courait pas le renard. Seulement les lièvres et les chevreuils. J'ignore exactement quand la tradition a commencé et c'est sans doute peu à peu : chaque fois qu'un de mes aïeux mourait, le matin même se présentait à la grille une harde de renards. Ils glapissaient à la mort pendant deux ou trois minutes et repartaient, silencieux, en file indienne. Vers 1900, mon grand-père a disparu. Je dis bien : « disparu » ! Parti sans bagages, sans laisser un mot. À cheval tout de même. Le soir, encore sellé, les étriers bas, la bride sur le cou, le cheval est revenu aux écuries. Tout le monde a pensé à un accident et on a curé les fossés, les étangs, fouillé les bois à l'entour. Rien. Comme s'il s'était volatilisé. Pour la première fois depuis des générations, les renards ne sont pas venus glapir à la grille. Au bout de cinq ou six années, ma grand-mère a voulu se remarier. Elle était jeune et belle, avec seulement deux enfants. Le curé — nous sommes catholiques, une exception dans le milieu —, le curé a refusé de célébrer le mariage tant que les renards ne viendraient pas glapir à la grille. Peut-être quelques années après, à l'aube, ma grand-mère a été réveillée par les renards et, le même matin, le facteur a déposé une lettre d'avocat lui annonçant que son mari venait de mourir à Djakarta. Le curé a célébré le remariage dans la semaine. Vous ne croirez sans doute pas tout ça, mais c'est vrai pour moi et peut-être pour d'autres dans la région. À partir du moment où une chose est vraie pour quelqu'un, elle existe.

Nous avons marché plus d'une heure sans rencontrer le renard grisonnant. Un moment, Leslie a reconnu s'être trompé au croisement de deux sentiers forestiers et il a ri :

— La *banshee* nous a eus. Je l'entends ricaner. Nous avons oublié de demander sa protection à la Sainte Vierge. Le ciel est devenu si sombre en quelques minutes qu'il va tenter de nous noyer. Ce sera notre punition. J'espère que vous n'êtes pas trop déçu. De toute façon, il faut bien chaque jour se remplir les poumons d'air pur.

Nous nous sommes donné rendez-vous à treize heures. J'arrive à moins une, découvrant qu'il est dans ma roue. C'est si peu irlandais que je n'en reviens pas. Pas plus, d'ailleurs, que du temps qui est absolument divin, lumineux comme il ne sait être nulle part ailleurs. La marée remonte la ria et, dans deux ou trois heures, le troupeau de cygnes réfugié en amont redescendra majestueusement jusqu'à l'embouchure où les eaux douces se mêlent aux eaux du golfe. Les mouettes piètent dans la vase. Sur le quai, Moran's a dressé des tables avec des parasols, mais nous avons choisi d'être à l'intérieur dans une cabine réservée d'où l'on peut tout de même contempler la ria et la terrasse. Malheureusement, personne n'est digne de notre attention.

Bien que ce soit à plus d'une heure du comté Leitrim où il habite, John McGahern connaît bien

Moran's et l'idée de nous y retrouver pour quelques huîtres (elles sont un peu prématurées, les meilleures ne seront divines qu'en décembre) lui a tout de suite plu.

La jeune fille qui nous sert n'est pas la grande bringue aux joues un peu molles et à la minijupe ultracourte sur une paire d'admirables jambes. L'auteur du *Pornographe* ne risque pas trop d'être distrait pendant notre entretien. Ce roman qui date déjà de vingt-cinq ans lui a laissé une réputation sulfureuse très enviée par ses confrères irlandais. Il y a perdu son poste d'enseignant et s'est vu obligé d'aller vivre à Londres en attendant que la tempête se calme.

Le pornographe n'est pourtant pas un roman pornographique, c'est un roman *sur* la pornographie et la descente en enfer d'un professionnel de la presse à lire d'une main. Dans les romans comme dans les nouvelles de John McGahern, les femmes jouent d'abord un rôle étrangement passif avant de dépouiller leur apparente soumission pour révéler une nature d'une impitoyable dureté alors que l'homme, le conquérant, se trouve désemparé, abandonné, misérable, seul sur le quai, attendant un train qui ne partira plus jamais.

Comme nous nous installons dans notre *lodge* avec une bouteille de muscadet en attendant les huîtres, je regarde mieux John. À Saint-Malo, aux rencontres d'Étonnants Voyageurs, en vérité je le trouvais assez indifférent lors d'un colloque jusqu'à ce que, avec une violence qu'on ne lui aurait pas soupçonnée, piqué par une remarque parfaitement imbécile d'un auditeur lui reprochant d'ignorer le problème posé par le drame de l'Ulster entre républicains et orangistes, la colère ait métamorphosé son visage d'homme tranquille. À juste titre, il avait rappelé qu'un écrivain est d'abord un homme libre de ses choix et qu'ensuite ce qu'il pensait des sanglantes étapes de cette guerre civile sans fin ne regardait personne, a fortiori un crétin qui ne connaissait rien au problème.

N'était-ce pas assez pour que je m'intéresse plus particulièrement à lui qui se trouvait maintenant devant moi, occupé de beurrer une tranche de pain bis et de goûter sa première huître ? Le visage est ovoïde avec des yeux d'un bleu faussement candide, pétillants d'intelligence. Dès que de l'humour teinte la conversation, le regard se trahit et devient narquois, égrillard ou, après une absence réfléchie de deux secondes à peine, soucieux de ne pas se laisser entraîner trop loin de la vérité comme c'est la tentation de tout Irlandais.

Son dernier livre, *Pour qu'ils soient face au soleil levant…*, est un peu indûment baptisé « roman ». J'ai quelque mal à accepter l'idée qu'il s'agit d'une fiction alors que domine l'impression de pouvoir poser sur chacun des personnages le masque d'un de mes voisins du comté Galway. J'aurais plutôt qualifié ce livre de « romans » tant il se développe comme une fresque et rassemble par un lien ténu une communauté vivant au bord d'un lac. Sur la société rurale irlandaise, on n'a jamais rien écrit tout à la fois de moins complaisant et de plus profondément humain. Voilà que se dissipe la noirceur avec laquelle la littérature irlandaise parle de son monde, de son amour-haine avec l'Église catholique et des souffrances sans remède qu'elle cultive avec masochisme.

— Les prêtres qui ont joué un tel rôle dans la vie irlandaise s'éloignent de jour en jour, me dit-il. Il ne faudrait pas oublier quand même le courage et la ténacité avec lesquels ils ont éduqué une nation restée relativement fruste jusqu'à la Renaissance celtique à la fin du XIX\ e siècle.

Nous évoquons brièvement l'affaire des prêtres pédophiles. Qu'il y en ait tellement surprend quand même autant que l'évêque de Galway puisant dans une caisse de charité pour entretenir sa maîtresse américaine et un fils naturel. Voilà qui va bien plus loin, bien au-delà des perversions reprochées aux écrivains irlandais par une censure ouverte, et même pire : voilée. Le monologue de Molly Bloom dans l'*Ulysse* de Joyce n'a jamais détruit autant de vies de lecteurs que les privautés du clergé sur la jeunesse. La littérature irlandaise pourra toujours se justifier d'avoir rappelé le pays à ce qui est aussi « sa » vérité infiniment faillible.

Dans *Pour qu'ils soient face au soleil levant...*, le personnage le plus poignant de cette communauté est celui qu'on voit le moins. Il est marqué au front d'un signe fatal : amour bafoué, exil et une mort de cardiaque. Ici, point de lamentations, de crises de nerfs, même peut-être pas de larmes, mais des soins comme à une momie : maquillage, toilette, habits du dimanche. Autour de sa dépouille se réunissent les proches et les amis d'autrefois qui boiront à son repos éternel. Croyants ou incroyants, même s'ils ne vont pas jusqu'à se réjouir, partagent la même certitude : le séjour sur cette terre est une malencontreuse étape avant que commence la vraie vie où l'on retrouve enfin les siens délivrés des misères petites et grandes, les petites étant souvent les pires. On a bu lors de l'exposition du corps. Après le cimetière, on se retrouvera au pub et pas forcément pour parler du disparu. On ne dit pas : « Johnny est mort », on dit en anglais : « *he passed* », il est passé, venu d'on ne sait trop où, reparti pour les limbes et la réconciliation universelle qu'il ne pourra manquer si on l'a bien enterré le visage face au soleil levant. Dans une enquête récente, 86 % des jeunes Irlandais ont répondu qu'ils croyaient en Dieu, confondant peut-être la foi en une résurrection et la foi en un Dieu de toutes les indulgences.

C'est à peine si le prêtre, qui a tant tenu de place dans le roman irlandais, apparaît dans le roman de McGahern : on le demande pour les baptêmes, les mariages, les enterrements. Son rôle bienveillant et consolateur est paradoxalement tenu par Rutledge, un nouveau venu dans la communauté, dont, incidemment, nous apprenons qu'il est peut-être un défroqué ou, au moins, un séminariste qui a quitté la robe avant d'être ordonné.

Pour qu'ils soient face au soleil levant... est une date dans la lente ascension du roman dans la littérature irlandaise après le coup de tonnerre de l'*Ulysse* de Joyce. McGahern a gommé l'actualité qui détournait le roman de ses fins. Il a gommé aussi le temps qui ride si fort les personnages de son monde. Il n'y a plus d'hier et de demain et chaque jour serait la copie de plus en plus pâle du précédent sans les admirables caractères peints par le romancier.

Nous avons fini nos huîtres. John en commande deux douzaines qu'il emportera. Il a bu à peine un verre de muscadet, refusé le café qui le rend nerveux et coiffé sa casquette de tweed légèrement de travers, visière relevée. Le regard est d'un bleu pâle, rusé comme il sied à un écrivain qui prend ses lecteurs au piège. Nous nous quittons sur le quai, la marée est déjà bien montée. Sur la rive opposée, une douzaine de vaches sont couchées dans l'herbe.

— J'ai un peu de bétail, me dit-il.

L'Irlande est une terre où le citadin aime bien jouer au fermier et l'inverse est peut-être aussi vrai. À la fin de *Pour qu'ils soient face au soleil levant...*, Bill Evans qui a toujours vécu de petits travaux et de quelques misères, qui est dix fois apparu chargé de seaux d'eau du lac, mendiant des cigarettes et un demi de bière, Bill sort de son humble rôle : il part s'installer en ville, porte veston et cravate pour sa visite d'adieux. L'effet est si stupéfiant que, dans la communauté, personne ne lui en fait la remarque.

Nous nous séparons, McGahern pour le comté Leitrim, moi pour le sud du Galway, avec, je pense, quelque regret l'un et l'autre d'être restés à la surface des mots.

— Il faudra que vous veniez à Foxfield.

Oui, certainement. J'aimerais bien voir ses livres — « dis-moi ce que tu lis, je te dirai qui tu es » —, le lac au bord duquel il s'est installé il y a une trentaine d'années. Ce sera pour une autre fois, après ces amicales prémices.

En fait, il faudra attendre six mois et j'en saurai à peine plus sur cet homme d'une si grande réserve. Certes, des étagères ploient sous les livres dans sa maison de Foxfield, mais les noms et les titres sont indiscernables. La pièce où il travaille est une cellule monastique de deux mètres sur quatre. Le bureau, une simple table de bois blanc, est tourné vers le mur. McGahern refuse au paysage le droit de le distraire.

Nous sommes à Foxfield, un dimanche 2 janvier 2005. Le plus déconcertant est que Foxfield n'existe pas. Avant de partir, je l'ai cherché sur le dernier dépliant Michelin : rien. Sur une carte datant d'une trentaine d'années, on retrouve une trace de Foxfield entre Fernagh et Keshcarrigan. Juste huit lettres minuscules sans même un point qui indiquerait un hameau. Sur toutes les autres cartes, Foxfield a disparu. Quel effet cela peut-il faire de vivre dans un lieu-dit qui n'existe plus, qui a peut-être seulement existé dans l'imagination d'un cartographe ou dans un conte de fées et de sorcières ? Rien sur la route ne permet de soupçonner un cataclysme, un séisme qui aurait englouti une communauté sans laisser de traces. Bien au contraire, le comté Leitrim est un modèle de paix bucolique. Au nord se dressent, dans la lumière cristalline de l'hiver, la crête et les flancs des Iron Mountains tachetés de neige. Entre Mohill et Fernagh, la route enlace tendrement des lacs et des étangs bordés de hêtres et de bouleaux argentés. De timides maisons se blottissent dans les lauriers, le lierre ou l'ampélopsis ; des paniers de fleurs pendent aux fenêtres des pubs, au-dessus des portes. À Fernagh, me fiant à la vieille carte, j'ai opté pour l'ouest, en direction de Carrick-on-Shannon (ou Cora Droma Druisc, si l'on préfère). En vain. Une jeune fille blonde à vélo m'indique un pub délabré et une imposante église blanche aux murs à clins beaucoup plus scandinaves qu'irlandais. J'appelle McGahern et il vient à ma rencontre. Dix minutes après nous sommes réunis et je le suis : un embranchement fort praticable, puis un autre, sauvage et creusé de fondrières, longe le bord d'un lac vert bronze dont les vaguelettes lapent la berge. La maison blanche est une ancienne ferme de plain-pied, légèrement sur la hauteur. Les étroites fenêtres de la façade donnent sur le lac clos dans sa cuvette qui pourrait bien être un ancien, très ancien cratère de volcan.

— Il est profond, répond McGahern à ma question. Très profond. Une source souterraine l'alimente. Au début de notre installation, oui je pêchais. Plus maintenant.

Il ne chasse pas non plus. Pourtant, à l'opposé du sud Galway qui, à l'aide des fonds de l'Union européenne, a drainé ses tourbières, rasé ses haies et massacré l'habitat sauvage, il y a foison d'oiseaux dans cette partie de Leitrim : bécasses, bécassines, colverts, faisans, vanneaux huppés. Des oies bernaches en migration se posent sur les berges.

— Et des corbeaux, dit Madeline McGahern, mince, un beau visage intelligent, aux cheveux gris coupés court.

Si, en général, on ne les mentionne pas, c'est que, dans le ciel irlandais, les vols en spirale de myriades de corbeaux croassant annoncent les diableries de la nuit.

À table, John raconte un irrésistible congrès tenu il y a cinq ou six ans à Portumna, tout près de chez moi, et dont je n'ai rien su. S'étaient donné rendez-vous, pour sauver le paysage et protéger l'urbanisation du cynisme des promoteurs, près de mille congressistes : écologistes, politiciens, élus locaux à la recherche d'une clientèle, défenseurs des nomades qui souillent les campements autorisés ou non, amis des forêts ou des renards.

— À la fin, dit-il, si on avait écouté les orateurs, l'Irlande ne serait plus qu'un réseau routier, un ramassis de maisons plus hideuses les unes que les autres. Ils détruisaient cela même qu'ils étaient venus défendre, chacun avec ses revendications rarement pures, parfaitement anarchiques dans leur finalité et fatales autant au paysage qu'à la vie quotidienne. Ils se sont séparés en se frottant les mains d'avoir plaidé la cause de leurs électeurs, de leurs mandataires ou de leurs corrupteurs. Comme il est d'usage dans les congrès, rien n'est sorti de cet assaut de démagogie. Le lendemain, l'*Irish Independent* a publié en première page mon article assassin sur le congrès. Et tous ces ruineux et catastrophiques projets sont tombés dans les oubliettes, Dieu merci. Depuis, on ne m'invite plus jamais à rien.

Nous parlons de son recueil de nouvelles. Je n'ai pas souvenir d'une seule qui ne soit désespérée. De *Mon amour et mon parapluie* on a tiré un opéra-bouffe.

— Un désastre... Vraiment exécrable. L'idée de mettre en chansons la rencontre d'une femme et d'un homme en train de forniquer avec la plus grande tristesse à l'abri d'une porte cochère et sous un parapluie ne me serait jamais venue. J'ai peut-être eu tort de laisser faire.

Plus encore peut-être que ses romans, ses nouvelles sont révélatrices de ce mélange de pitié et de cruauté avec lequel il fouille le cœur et l'âme de ses personnages. L'amour n'est pas en cause, c'est la vie qui est sordide. Les interdits, les silences, la misère morale des solitaires parlent d'une société qui, dans *Pour qu'ils soient face au soleil levant...*, s'est débarrassée de ses peurs et de quelques certitudes. Au contraire de nombre de romanciers de sa génération (il a soixante-dix ans), McGahern a perçu l'évolution du monde irlandais dans les trente dernières années. Ce n'est plus le même que dans ses premiers livres. Les fenêtres se sont ouvertes, un grand vent a balayé les séquelles d'un passé trop longtemps obsédant. Les colères de la « terrible beauté » réveillée par Yeats et les écrivains de la Renaissance celtique se sont apaisées. Comme nous avons prononcé le nom de Yeats, McGahern tranche en quelques mots :

— Oui, un poète, même probablement un grand poète, mais sa prose est illisible, emphatique et maladroite.

— Et son théâtre ?

— Assommant.

En partant, je m'aperçois que nous avons soigneusement évité les rituels topiques : Joyce et Beckett. Et les Français ? C'est bon pour Flaubert et Maupassant. Les Américains ? Hemingway et les nouvelles de Faulkner.

— Je viens de terminer un livre, dit-il au moment où nous nous quittons.

199

— Un roman ?

— Non. Des choses, des souvenirs. Pas sur des auteurs. Non. Sur mon père et ma mère. Mon père était gendarme et vivait dans une caserne à cinquante kilomètres de ma mère qui enseignait à l'école communale. Ils ont tout de même réussi à faire cinq enfants.

Y a-t-il une heure de la vie d'un écrivain où, après avoir masqué ou travesti ce qui lui était le plus cher, ce qui était la première essence de son œuvre, y a-t-il une heure où s'impose l'irrésistible besoin d'en parler enfin à livre ouvert ?

Saint Brendan, fils de Finloch, neveu d'Alti de la famille des Eoghen, élève de sainte Ita à Killedy, est né dans le Munster à une époque indéterminée, probablement vers la fin du VIᵉ siècle.

À bord d'un curragh, grosse barcasse flatulente en peau de phoque et de requin imperméabilisée au brai et à la colle de poisson, il est le premier explorateur du monde atlantique. Avec un équipage de sept vigoureux moines, il a, sept ans durant, sillonné l'Océan et les mers, apporté des secours spirituels à des îles édéniques peuplées d'ermites : *Terre de la promesse des saints, Paradis des oiseaux.* Au monde sauvage, il révélait la parole du Christ, la vision d'une éternité heureuse.

Sa relation, *Navigatio Brendani*, est le récit de ces expéditions au-delà des horizons. Tantôt à la rame, tantôt poussé par le vent soufflant dans une voile carrée, le curragh de saint Brendan a ouvert le monde atlantique à la chrétienté. La légende veut que Christophe Colomb, avant de partir pour Cipango, soit venu en Irlande recueillir les souvenirs d'un pilote qui disait avoir, comme saint Brendan, accosté une terre inconnue au-delà de l'horizon. Plus certain est l'emprunt de Dante, chapitre du *Purgatoire* de *La Divine Comédie* :

« Il s'en vint au rivage avec son esquif aux lignes élancées et si léger qu'il ne fendait pas l'eau... À la poupe se tenait debout le célèbre nocher dont l'attitude révélait le bonheur ; et, au-dedans, plus de cent esprits étaient assis... » *Navigatio Brendani* est de ces livres qui n'auront jamais de fin. Poétique, savant, inspiré, il invite l'imagination aux merveilles terrestres et paradisiaques. À chacun il est permis d'apporter sa pierre.

Dans le ciel, on aperçoit une déchirure d'azur et d'or. Les vents d'ouest se taisent. À Moher, l'Océan lèche tendrement les falaises, et, sur la plage de Lahinch, les rouleaux meurent l'écume aux lèvres. Saint Brendan a fait hisser la voile et s'est croisé les bras, debout à la proue. Sa barbe rousse flamboie dans la lumière. Au-delà, ce n'est plus le monde des hommes, c'est le royaume de Dieu défendu par des monstres marins. Pour écarter ces monstres sans tuer — oh, non, il ne faut pas les tuer, fussent-ils les envoyés du Malin — saint Brendan affûte, depuis sa jeunesse, une arme absolue, chauffée à blanc, fine comme une aiguille, solide comme l'airain, brillante comme l'éclair : sa foi. Qu'il la brandisse et la tempête s'apaisera, les monstres s'enfuiront, l'escorteront peut-être même jusqu'au seuil de la grande porte où Dieu, avec un rien d'impatience, attend le fils d'Erin. L'orgueilleux moine entend Lui dire ce qui se passe sur terre : les hommes ont froid, ils saignent et souffrent malgré tant de prières qu'à l'horizon nul n'écoute. Saint Brendan n'est pas parti pour dire des choses aimables à Dieu. Il va Lui parler des Vikings qui ravagent les côtes, de la pluie qui noie les récoltes, de la brume qui suffoque, des tentations qui harcèlent les humains et les poussent à pécher, des enfants et des femmes qui grelottent dans la lande rouge. Oui, que faites-Vous, Seigneur, pour ceux qui Vous adorent et obéissent à Vos commandements ? À quels jeux perdez-Vous Votre temps au lieu de nous protéger, de Vous occuper de nous ? Un vent tiède s'est levé qui gonfle la voile carrée. La barcasse de toile et poix gémit dans la houle. Saint Brendan ne mange ni ne boit. C'est décharné qu'il veut se présenter à

Dieu, à l'image des moribonds aux yeux déjà glauques, de tous ceux qui implorent en vain un secours.

Au fil des jours et des nuits, saint Brendan dont la barbe est maintenant grise de sel sait qu'il est sur la bonne route : l'Océan est infini comme est infinie la puissance du potentat de l'au-delà. L'horizon recule sans cesse, teinté de feu au couchant, ce feu que les embruns éteignent la nuit et qui renaît de cendres le matin, dans le dos de l'équipage. Les hommes s'inquiètent. On devrait humer une odeur de cramé, recevoir une averse de suie, mais non, les senteurs de l'Océan dominent et l'air est pur et frais comme au commencement du monde. Dieu est un enchanteur, pense saint Brendan, mais nous sommes les plus forts, et nous croyons en Lui plus qu'Il ne croit en Lui-même. S'Il est prisonnier de Ses propres charmes, nous Le délivrerons, nous Lui rendrons Sa puissance pour qu'Il aide de nouveau les hommes au lieu de gratter un luth.

Quand le continent est en vue, saint Brendan écarte les bras. Ainsi dressé à la proue de son bateau, il figure une croix recouverte de cristaux salins. Ses yeux lancent des flammes. Dieu n'est pas loin, Dieu est sur la côte et vient d'allumer un feu dont la brise noue la fumée en torsades. Une sourde mélopée monte de l'équipage qui abandonne les avirons. Le navire entre dans une baie limpide, s'échoue sur le sable. Saint Brendan tend les bras en avant, paumes ouvertes, offrant la misère du monde au Tout-Puissant pour qu'Il y remédie. Le Tout-Puissant émerge de l'écran de fumée. C'est un mince homme rouge avec des plumes dans les cheveux, de la peinture sur les joues. Il porte un arc, s'arrête pour le tendre et lance une flèche qui retombe mollement sur le pont, manquant de peu le saint en extase.

— Ce n'est pas Dieu ! s'écrie le moine. Nous nous sommes trompés de cap. Retournons vers la belle Erin qui est verte et pâle. Dieu n'a jamais pu vivre sur ces terres ingrates. Dieu est en nous, dans le jardin de nos âmes… Demi-tour… et vite… c'est peut-être l'Enfer.

Mes remerciements vont à Pierre Joannon pour son *Histoire de l'Irlande* et *Le rêve irlandais* ; à Jacqueline Genet pour tous ses travaux sur Yeats ainsi qu'à Pierre Leyris et Jean-Yves Masson pour leurs traductions du poète ; à Colm Toibin pour *Lady Gregory's Toothbrush*, au chevalier Bougrenet de la Tocnaye qui décrivit l'Irlande de la fin du XVIIIe siècle avec une étonnante minutie, au docteur William Wilde (père d'Oscar), grand amateur des superstitions du XIXe siècle.

Œuvres de Michel Déon (suite)

LOUIS XIV PAR LUI-MÊME. Morceaux choisis du Roi avec introduction et commentaires de l'auteur (« Folio », n° 2305). Première édition.

LE PRIX DE L'AMOUR, *nouvelles* (« Folio », n° 2579).

ARIANE OU L'OUBLI, *théâtre* (« Le Manteau d'Arlequin », nouvelle série).

PARLONS-EN..., avec Alice Déon, *conversation.*

PAGES GRECQUES : Le balcon de Spetsai — Le rendez-vous de Patmos — Spetsai revisité, *récits* (« Folio », n° 3080).

LA COUR DES GRANDS, *roman* (« Folio », n° 3106).

PAGES FRANÇAISES : Mes arches de Noé — Bagages pour Vancouver — Post-scriptum, *récits.*

L'ENFANT ET LA SORCIÈRE. *Illustré par des photographies de Nutan* (« Folio Junior », n° 841).

TAISEZ-VOUS... J'ENTENDS VENIR UN ANGE, *sotie* (« Folio », n° 3916).

UNE AFFICHE BLEUE ET BLANCHE, *nouvelle* (« Folio », n° 3754).

LA CHAMBRE DE TON PÈRE, *récits.*

Aux Éditions de la Table Ronde

LA CORRIDA, *roman* (repris dans « Folio », n° 1350).

LES GENS DE LA NUIT, *roman* (repris dans « Folio », n° 557).

MÉGALONOSE, *pamphlet.*

LA CAROTTE ET LE BÂTON, *roman* (repris dans « Folio », n° 1471).

JE ME SUIS BEAUCOUP PROMENÉ..., *miscellanées* (Petite vermillon, n° 137).

UNE LONGUE AMITIÉ, *lettres.*

Aux Éditions Albin Michel

MADAME ROSE, *roman* (repris dans « Folio », n° 3323).

Aux Éditions Flammarion

GUERRES ET ROMAN, conversation avec Lakis Proguidis.

G., *gravures de George Ball.*

AVANT-JOUR, *gravures d'Olivier Debré.*

À l'Imprimerie nationale

DERNIÈRES NOUVELLES DE SOCRATE, *gravures de Jean Cortot.*

Aux Éditions Séguier

ORPHÉE AIMAIT-IL EURYDICE ?

Aux Presses typographiques

DE NAZARÉ..., *bois gravés de George Ball.*

Au Cheval ailé

JASON, *gravures de George Ball.*

Aux Éditions Fayard

DISCOURS DE RÉCEPTION D'HÉLÈNE CARRÈRE D'ENCAUSSE
ET RÉPONSE DE MICHEL DÉON.

Achevé d'imprimer
sur Roto-Page
par l'Imprimerie Floch
à Mayenne, le 23 juin 2005.
Dépôt légal : juin 2005.
1er dépôt légal : avril 2005.
Numéro d'imprimeur : 63409.
ISBN 2-07-077468-8 / Imprimé en France.

139036